Modela tus Animales

Bernadette Cuxart

edebé

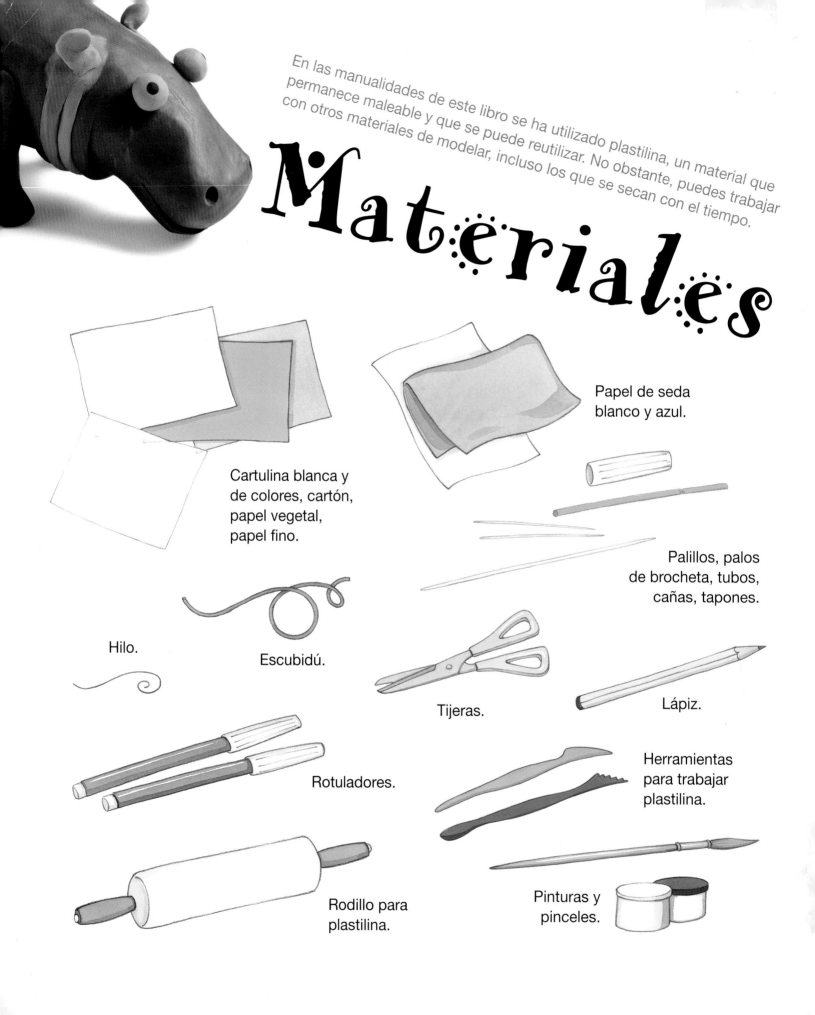

En las manualidades de este libro se ha utilizado plastilina, un material que permanece maleable y que se puede reutilizar. No obstante, puedes trabajar con otros materiales de modelar, incluso los que se secan con el tiempo.

Materiales

Papel de seda blanco y azul.

Cartulina blanca y de colores, cartón, papel vegetal, papel fino.

Palillos, palos de brocheta, tubos, cañas, tapones.

Hilo.

Escubidú.

Tijeras.

Lápiz.

Rotuladores.

Herramientas para trabajar plastilina.

Rodillo para plastilina.

Pinturas y pinceles.

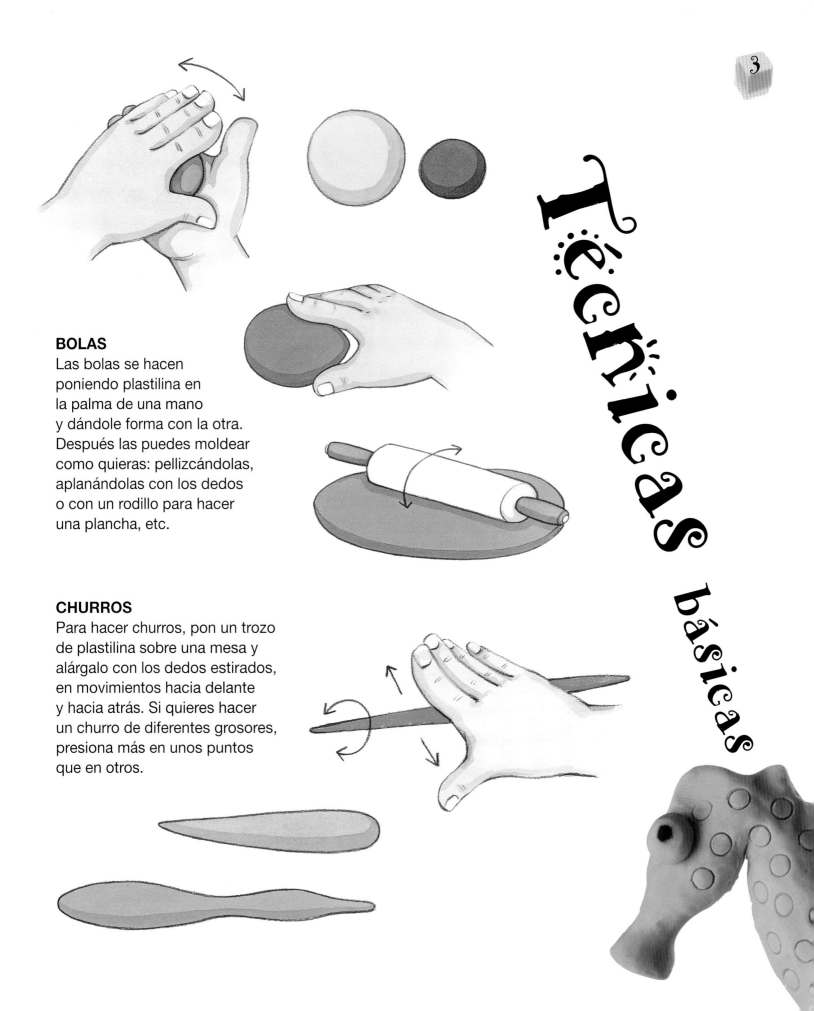

Técnicas básicas

BOLAS

Las bolas se hacen poniendo plastilina en la palma de una mano y dándole forma con la otra. Después las puedes moldear como quieras: pellizcándolas, aplanándolas con los dedos o con un rodillo para hacer una plancha, etc.

CHURROS

Para hacer churros, pon un trozo de plastilina sobre una mesa y alárgalo con los dedos estirados, en movimientos hacia delante y hacia atrás. Si quieres hacer un churro de diferentes grosores, presiona más en unos puntos que en otros.

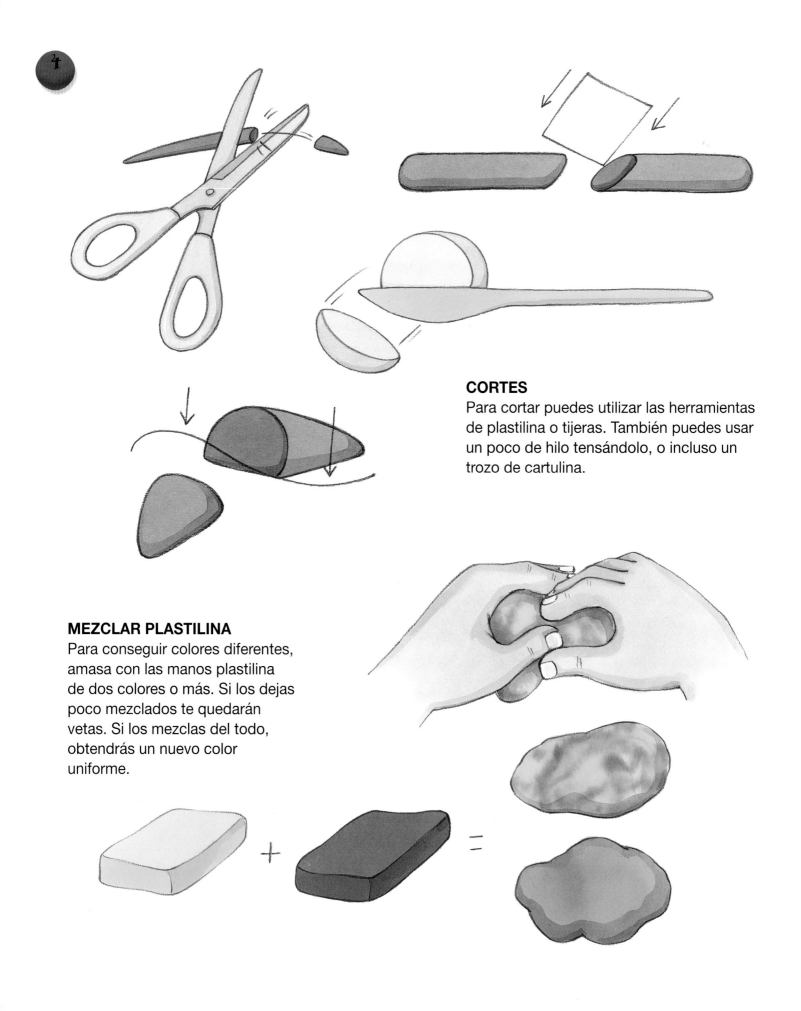

CORTES
Para cortar puedes utilizar las herramientas de plastilina o tijeras. También puedes usar un poco de hilo tensándolo, o incluso un trozo de cartulina.

MEZCLAR PLASTILINA
Para conseguir colores diferentes, amasa con las manos plastilina de dos colores o más. Si los dejas poco mezclados te quedarán vetas. Si los mezclas del todo, obtendrás un nuevo color uniforme.

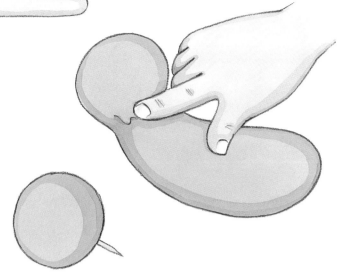

UNIONES

Cuando quieras unir dos piezas que podrían despegarse (la cabeza con el cuerpo, los ojos con la cabeza, etc.), utiliza un trocito de palillo para reforzar la unión. Cuando sea posible, asegura la unión arrastrando la plastilina de la zona hasta juntar bien las dos piezas (en el cuello de un animal, por ejemplo).

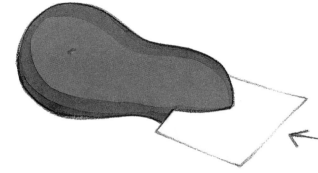

BOCAS

La boca puede abrirse con un trocito de cartulina. Si la quieres muy abierta, sube y baja la cartulina antes de sacarla. También puedes hacer labios con churritos.

TEXTURAS

Presionando con escubidú, tubitos, cañas o tapones, puedes hacer círculos de medidas diferentes. Con un trozo de rejilla puedes hacer una textura de cuadraditos que simulen escamas.

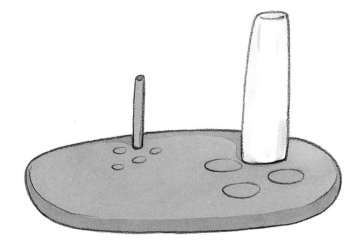

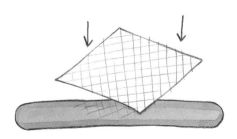

ALETAS Y COLAS

Los elementos como aletas, colas, antenas, etc. los puedes hacer recortando otros materiales más ligeros como papel, cartulina, cartón, escubidús o los que se te ocurran. ¡Te sorprenderá lo bien que se sujetan sobre la plastilina!

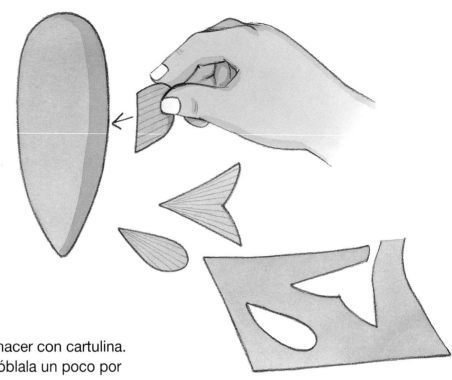

OREJAS

Algunas las puedes hacer con cartulina. Recorta la forma y dóblala un poco por la punta antes de clavarla.

MANCHAS Y RAYAS

Para las manchas, extiende con el dedo trocitos de plastilina sobre el animal. Para las rayas, haz churros muy finos y presiónalos sobre el cuerpo. Si esto te parece muy difícil, también puedes pintar sobre la plastilina. No olvides limpiar los pinceles al terminar.

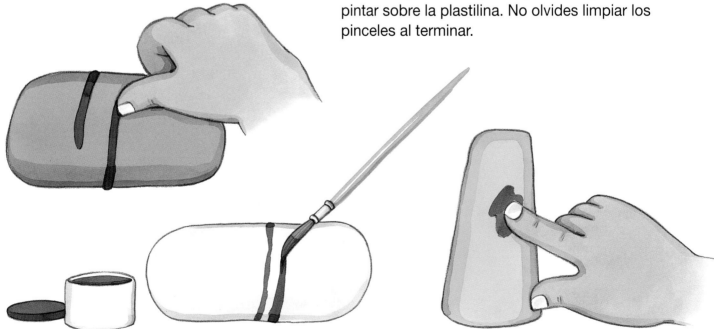

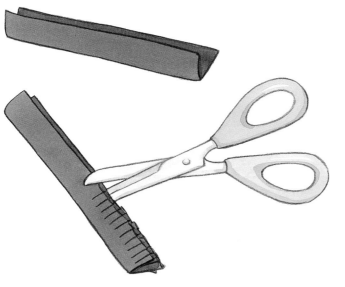

CRINES Y COLAS

Se puede hacer una crin cortando flecos en una tira de cartulina. También puedes hacerla pegando trocitos de lana a una tira de cinta adhesiva, y doblando ésta a lo largo. Para hacer una cola, une varios trocitos de lana con cinta adhesiva por un extremo, y enróscalo.

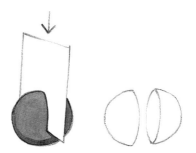

OJOS

Muchos de los animales que verás tienen este tipo de ojos. Haz dos bolitas de diferente color. Pártelas por la mitad y une dos mitades de distinto color. Apriétalo un poco y pon una bolita pequeña en medio para hacer la pupila.

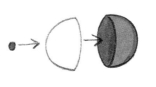

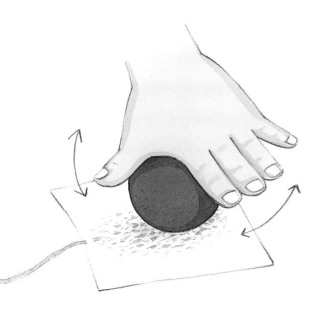

"REBOZAR" PLASTILINA

Para conseguir un efecto peludo, corta trocitos pequeños de lana y haz rodar la plastilina por encima hasta cubrirla. Presiona bien.

Pez payaso

1. Haz una bola, estírala un poco y aplánala con la palma de la mano.

2. Afina los bordes con los dedos.

3. Para hacer las rayas, enrolla churros blancos y aplánalos encima con el dedo.

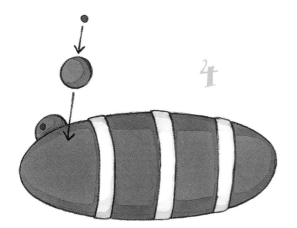

4. Para los ojos, pega una bolita negra encima de una de color naranja y apriétalas bien.

5. Haz dos churritos para los labios.

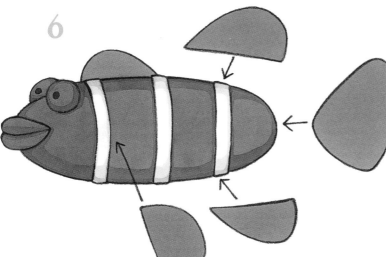

6. Recorta las aletas en cartulina naranja y clávalas en su lugar.

Formas y colores

En el mar se encuentran peces con muchos dibujos diferentes: lunares, manchas, rayas en zigzag...

Érizo

1. Haz una bola.

2. Con unas tijeras, corta las puntas de unos cuantos palillos. Después pártelos por la mitad.

3. Da unos golpecitos a la base de la bola para que se aguante bien y clava los palillos por toda la superficie.

¡Auuu!

Los erizos viven entre las rocas. Hay que evitar pisarlos, pues el pinchazo de sus púas es muy doloroso.

Estrella

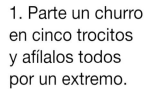

1. Parte un churro en cinco trocitos y afílalos todos por un extremo.

2. Haz dos cortes en la parte gruesa de cada churro para que queden en forma de flecha. Únelos.

1

2

3

3. Presiona las uniones con el dedo para que queden fuertes. Haz una textura de circulitos con un escubidú.

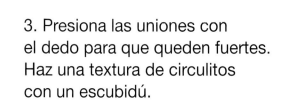

Cangrejo

1. Aplasta la mitad de una bola con la palma de la mano.

2. Pellizca un lado con los dedos para dar forma a la parte de atrás.

3. Para los ojos, haz dos bolas del color del cangrejo con una bolita negra en el medio. Después ábrele la boca con un trozo de cartulina.

4. Haz dos churros afilados para las patas delanteras. Únelos bien a los lados del cangrejo, usando un trozo de palillo. Presiónalo todo por debajo con el dedo.

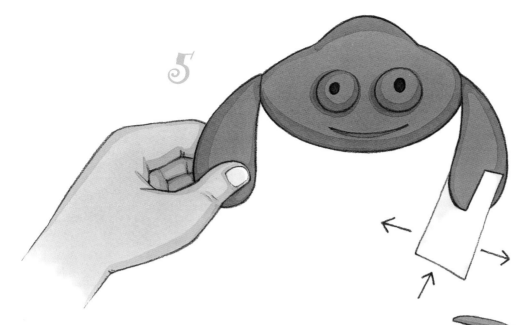

5. Usa otra vez los dedos para aplanar la parte delantera de las pinzas. Ábrelas con un trocito de cartulina.

6. Por último, haz ocho churros pequeños y colócalos detrás de las pinzas, cuatro a cada lado.

Hacia atrás

¡A que parece que le estamos poniendo las patitas en la espalda? Has de saber que los cangrejos las tienen ahí porque sólo se desplazan de lado o hacia atrás.

Delfín

1. Haz un churro grande afilado por un lado. Después haz dos churros más pequeños, uno del mismo color y otro un poco más claro. Córtalos longitudinalmente y descarta la mitad de cada uno.

2. Pega las dos piezas pequeñas en la cabeza del delfín, la más clara abajo. Asegura la unión de arriba con el dedo, y extiende la pieza más clara difuminándola a lo largo de la panza.

3. Haz dos bolas negras para los ojos. Clava las aletas y la cola que has recortado en cartulina o cartón grueso.

Medusa

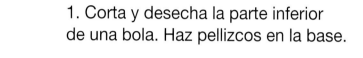

1. Corta y desecha la parte inferior de una bola. Haz pellizcos en la base.

2. Dibuja rayas verticales en los laterales con un palillo. A continuación marca círculos en la parte de arriba con un tapón.

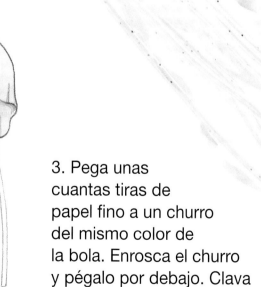

3. Pega unas cuantas tiras de papel fino a un churro del mismo color de la bola. Enrosca el churro y pégalo por debajo. Clava trozos largos de escubidú alrededor.

Caballito

1

1. Haz un churro y afínalo
por el centro y por las puntas,
tal y como ves en el dibujo n°1.

2. Dobla la cabeza 90°
y enrosca la cola hacia
adentro.

3. Golpea el morro contra la
mesa para que quede plano.

2

3

Un pez peculiar

El caballito de
mar, con su rara
apariencia y su
forma de nadar
erguido, es uno de
los peces más
extraños que se
puede encontrar en
el mundo marino.

4. Con los dedos, haz pellizcos en la cabeza y en la espalda de la figura.

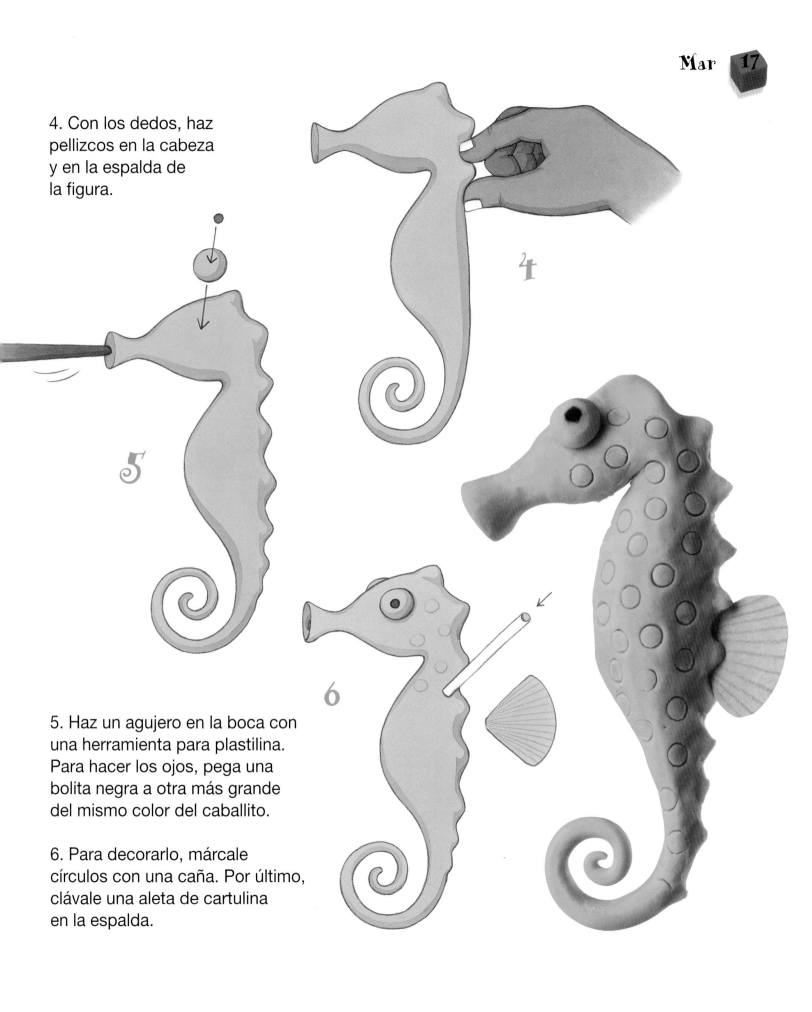

5. Haz un agujero en la boca con una herramienta para plastilina. Para hacer los ojos, pega una bolita negra a otra más grande del mismo color del caballito.

6. Para decorarlo, márcale círculos con una caña. Por último, clávale una aleta de cartulina en la espalda.

Tortuga

1. Haz una bola de plastilina con colores poco mezclados y aplánala con la palma de la mano. Será el caparazón.

2. Haz seis churros con formas diferentes: uno corto y puntiagudo para la cola, uno grueso y redondo para la cabeza y otros cuatro para las patas.

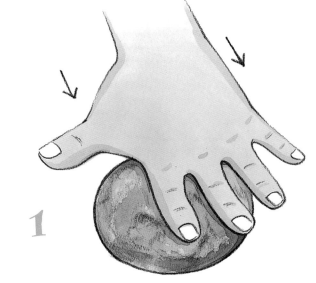

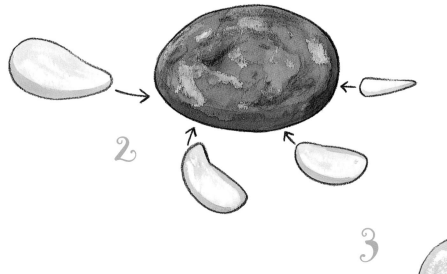

3. Da la vuelta al caparazón y pega los churros en la parte plana, la que quedará debajo. Alisa con el dedo los puntos de unión.

4. Dale otra vez la vuelta y ajusta bien las extremidades, levantando un poco la cabeza y la cola. Pellizca un poco la cabeza para dar forma a la nariz.

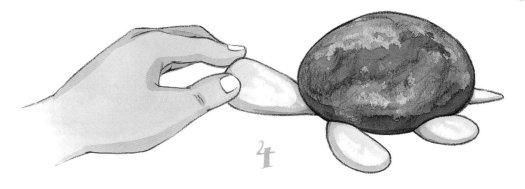

5. Pega dos bolitas negras sobre dos de color y éstas en la cabeza para hacer los ojos. Haz dos agujeritos con un palillo para la nariz. Utiliza un cartoncillo para hacerle la boca.

6. Marca los dedos de las patas y decora el caparazón con la tapa de un rotulador.

Gaviota

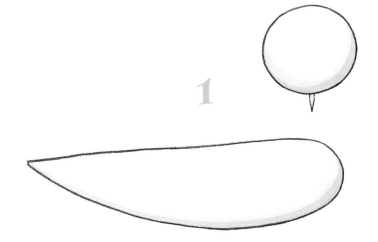

1. Afila un churro, haz una bola, y une las dos piezas con la ayuda de un trozo de palillo.

2. Con el dedo, asegura bien la unión y afina el cuello.

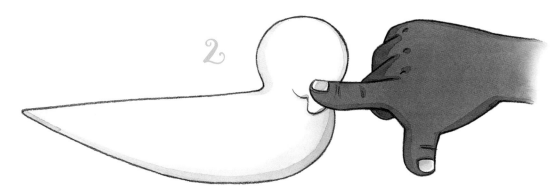

3. Pega dos bolitas negras para hacer los ojos. Para el pico, coloca un churro puntiagudo y presiónalo fuerte con el dedo.

4. Pega un trocito de plastilina negra en la punta de la cola. Para hacer las alas, aplana un churrito de plastilina gris. Con los dedos puedes hacer la textura de las plumas.

5. Para las patas, haz una plancha de color naranja, dibuja en ella dos triángulos con un palillo y sácalos. Márcales los dedos con un palo o una herramienta de plastilina.

6. Pinta dos trocitos de brocheta de color naranja y clávalos en las patas. Después colócalas por debajo de la gaviota, de manera que el animal quede equilibrado.

Pulpo

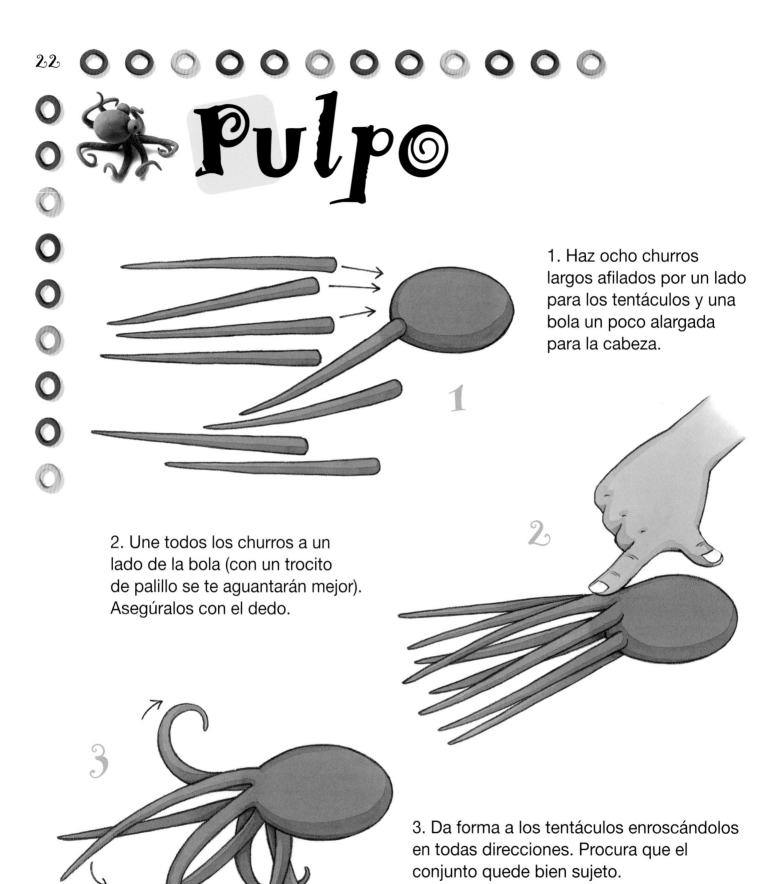

1. Haz ocho churros largos afilados por un lado para los tentáculos y una bola un poco alargada para la cabeza.

1

2. Une todos los churros a un lado de la bola (con un trocito de palillo se te aguantarán mejor). Asegúralos con el dedo.

2

3

3. Da forma a los tentáculos enroscándolos en todas direcciones. Procura que el conjunto quede bien sujeto.

4. Ponle los ojos. Bastará con colocar dos bolas del color del pulpo y añadirles una bolita negra en el centro.

5. Ábrele la boca con un trozo de cartulina.

6. Marca las ventosas haciendo circulitos con un escubidú.

Hay más

Si te parece divertido hacer tentáculos, puedes probar con otros animales que los tienen, por ejemplo un calamar.

Ballena

1. Haz un churro afilado por un extremo. En el lado grueso, pega dos churritos, uno del mismo gris y otro blanco.

1

2. Extiende bien toda la plastilina, y por debajo difumina el blanco. Marca las rayas de la barriga con un palillo.

2

3. Clava las aletas de cartón y levántale un poco la cola. Las aletas laterales se aguantarán mejor si las clavas primero a unas bolitas. Añade los ojos y ¡lista!

3

Pez amarillo

1. Aplasta una bola con la palma de la mano. Moldea dos puntas redondeadas con los dedos.

2. Ábrele una boca con un trozo de cartulina. Para los ojos, pega una bolita negra sobre otra de color. Termina de decorarlo con churros finos aplanados con el dedo en el cuerpo del pez.

3. Recorta las aletas y la cola en papel vegetal y clávalas en su lugar.

Raya

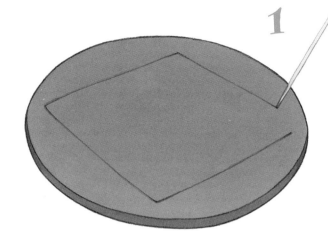

1

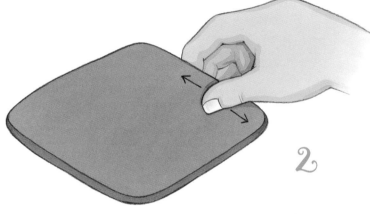

1. Haz una plancha y recorta un cuadrado.

2

2. Redondea las puntas y los bordes.

3. Fíjate en el dibujo y haz dos pequeños cortes en una de las esquinas con un trocito de cartulina.

3

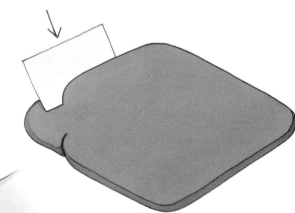

4

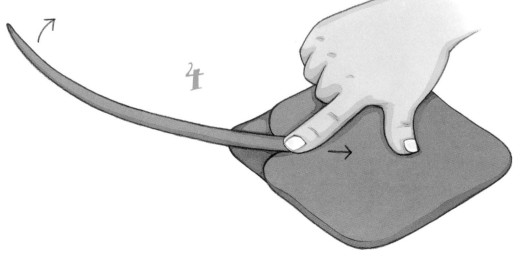

4. Pega un churro largo y fino encima de estos cortes. Curva un poco la punta.

5. Para hacer los ojos pega tres bolitas, una sobre otra: una grande del color de la raya, una mediana de otro color y una última pequeña negra. Para hacer los lunares del cuerpo, aplasta bolitas pequeñas de color por todas partes.

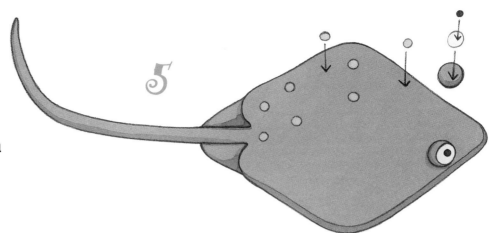

6. Por último, levanta las dos puntas laterales, que serán las aletas.

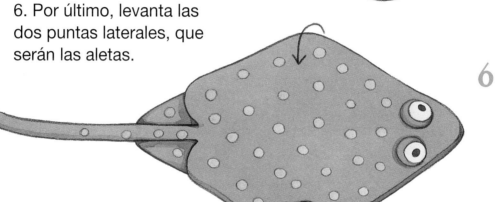

Sorpresa en la cola

Las rayas suelen ser animales muy tranquilos y sociables. Sin embargo, algunas especies tienen un aguijón en la cola y pueden picar.

Tiburón

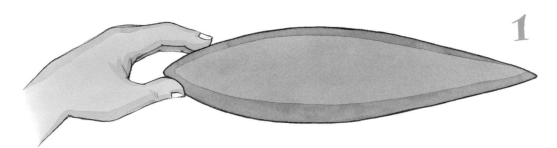

1. Haz un churro, afilado por un lado y plano por el otro.

2. Aplasta otro churro blanco por la parte inferior para dar color a la barriga. Alísalo y difumínalo tanto como puedas.

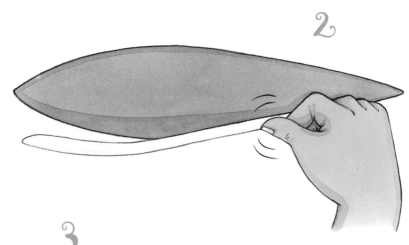

3. Ábrele una boca bien grande introduciendo un cartoncillo y haciéndolo subir y bajar.

4. Recorta unos dientes con cartulina blanca y clávalos en el agujero de la boca.

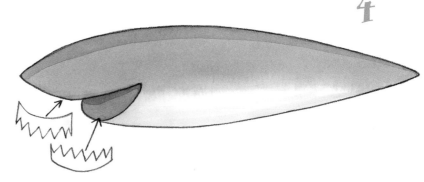

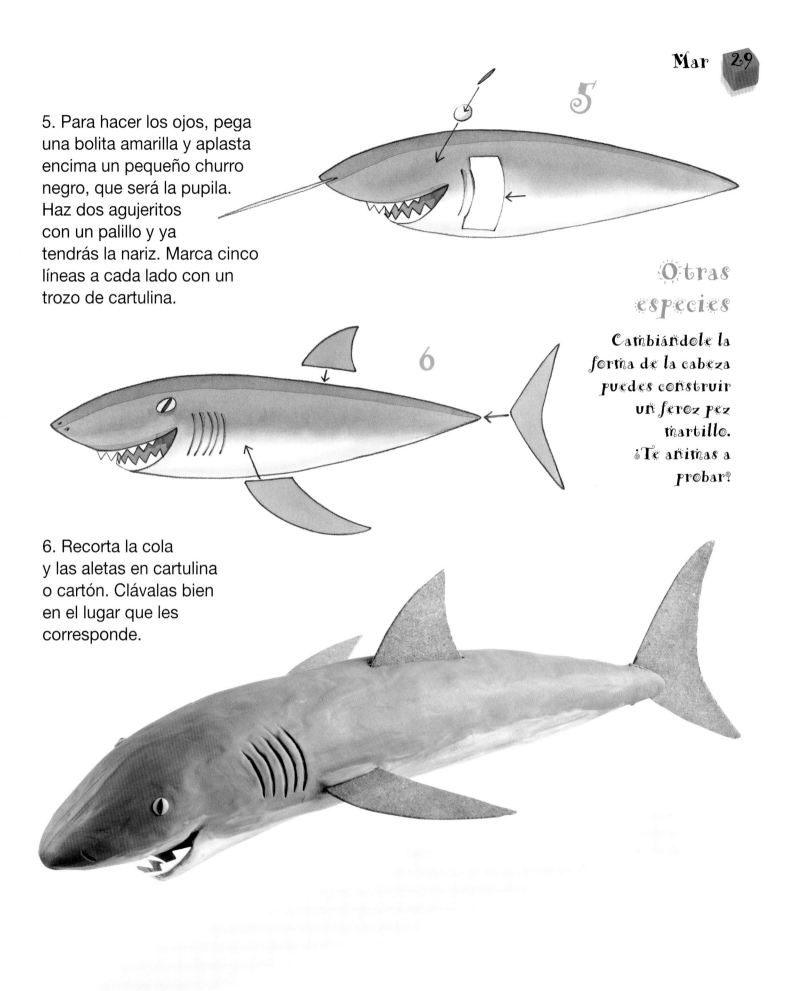

5. Para hacer los ojos, pega una bolita amarilla y aplasta encima un pequeño churro negro, que será la pupila. Haz dos agujeritos con un palillo y ya tendrás la nariz. Marca cinco líneas a cada lado con un trozo de cartulina.

Otras especies

Cambiándole la forma de la cabeza puedes construir un feroz pez martillo. ¿Te animas a probar?

6. Recorta la cola y las aletas en cartulina o cartón. Clávalas bien en el lugar que les corresponde.

Flamenco

1. Haz un churro redondeado por un extremo para el cuello y la cabeza, y cúrvalo. Modela una bola en forma de almendra para el cuerpo.

1

2. Une el cuello al cuerpo con un palillo y asegura la unión. Haz las piezas del pico y las alas y pégalo todo en su sitio.

2

3. Con bolitas superpuestas, haz los ojos. Pinta dos brochetas que serán las patas. Para hacer los pies, modela unos deditos en media bola y clávala a la brocheta. Termínalo todo dando textura a las alas con los dedos.

3

Camaleón

1. Con un palillo, une dos piezas: la forma triangular de la cabeza con el churro largo y afilado del cuerpo y la cola. Apriétalo todo bien. Afila el lomo con los dedos formando una arista. Pellizca la parte superior de la cabeza. Enrosca la cola.

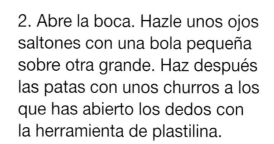

2. Abre la boca. Hazle unos ojos saltones con una bola pequeña sobre otra grande. Haz después las patas con unos churros a los que has abierto los dedos con la herramienta de plastilina.

3. Márcale unas montañitas en el lomo con la misma herramienta. Con un trozo de escubidú dale textura a todo el cuerpo.

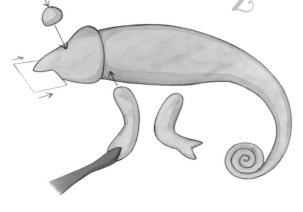

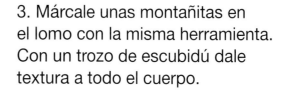

Hipopótamo

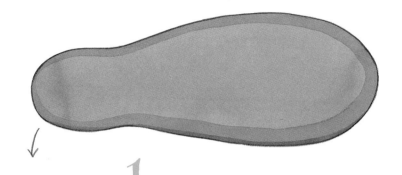

1. Modela la forma de la cabeza y del cuerpo en un churro muy grueso. Inclina un poco la cabeza hacia adelante.

1

2. Hunde con los dedos la parte superior media de la cabeza.

2

3

3. Aprieta unos churros finos en la parte inferior del cuello y difumínalos hacia los lados. Parecerán las arrugas.

4. Pega bolitas negras sobre otras más grandes para hacer los ojos. Aplasta dos bolitas más para las orejas.

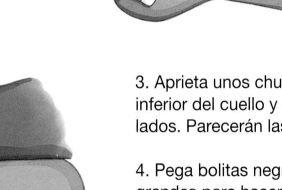

4

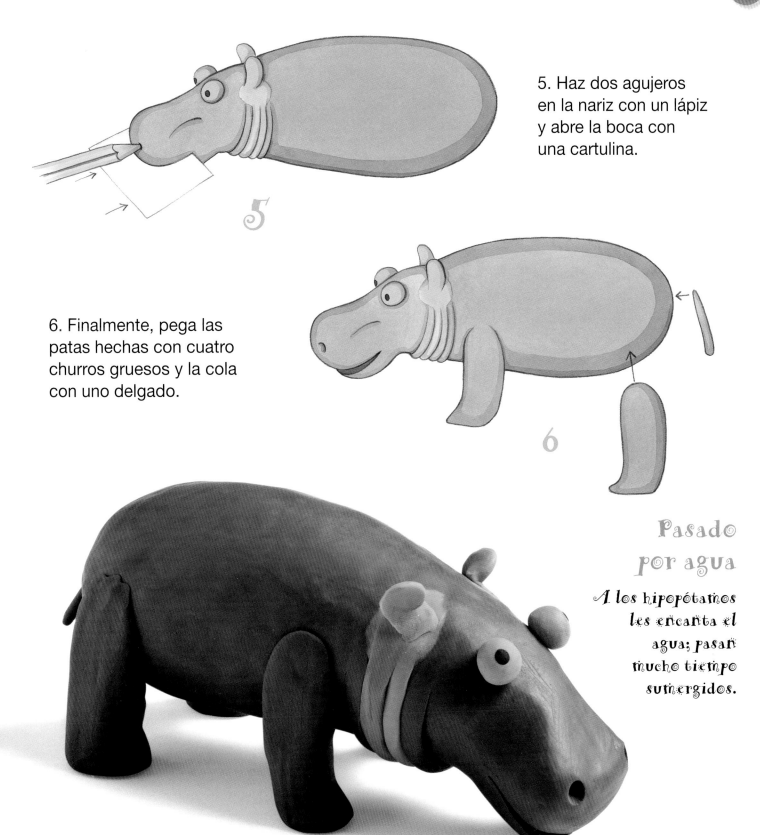

5. Haz dos agujeros
en la nariz con un lápiz
y abre la boca con
una cartulina.

5

6. Finalmente, pega las
patas hechas con cuatro
churros gruesos y la cola
con uno delgado.

6

Pasado
por agua

A los hipopótamos
les encanta el
agua; pasan
mucho tiempo
sumergidos.

León

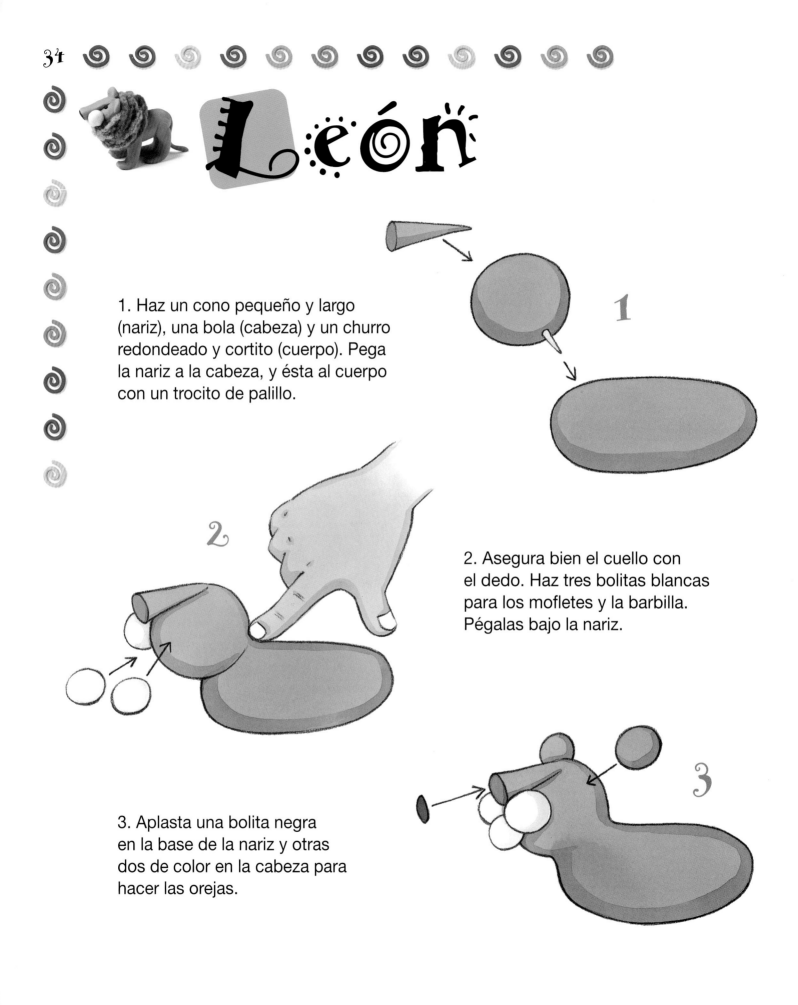

1. Haz un cono pequeño y largo (nariz), una bola (cabeza) y un churro redondeado y cortito (cuerpo). Pega la nariz a la cabeza, y ésta al cuerpo con un trocito de palillo.

1

2

2. Asegura bien el cuello con el dedo. Haz tres bolitas blancas para los mofletes y la barbilla. Pégalas bajo la nariz.

3. Aplasta una bolita negra en la base de la nariz y otras dos de color en la cabeza para hacer las orejas.

3

4. Corta cuatro trozos de churro para las patas. Pega dos a cada lado haciendo un poco de presión. Asegúralas bien y dobla hacia adelante el extremo para dar forma a la pezuña.

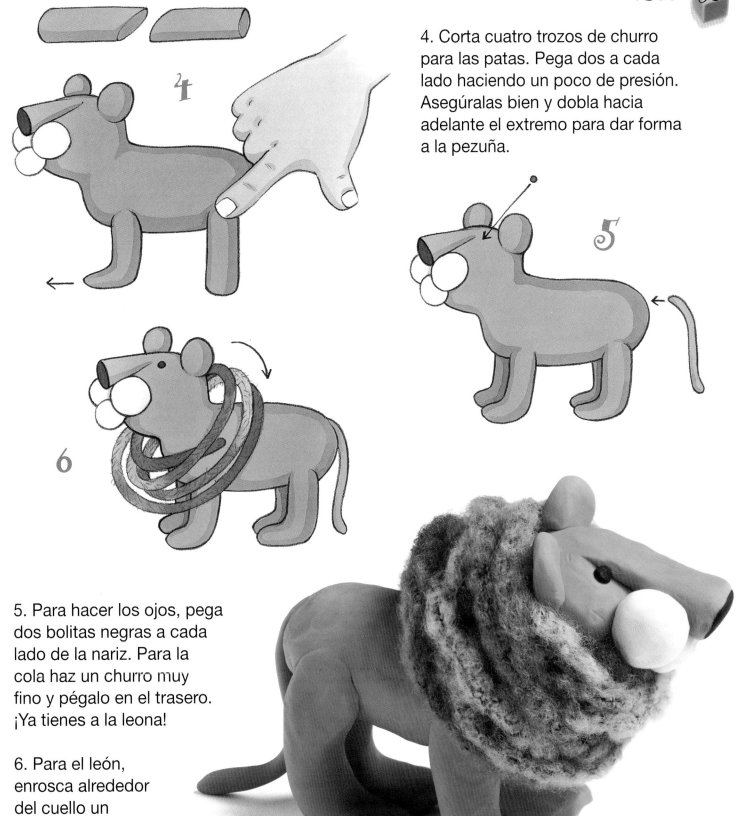

5. Para hacer los ojos, pega dos bolitas negras a cada lado de la nariz. Para la cola haz un churro muy fino y pégalo en el trasero. ¡Ya tienes a la leona!

6. Para el león, enrosca alrededor del cuello un poco de lana. ¡Será la melena!

Rinoceronte

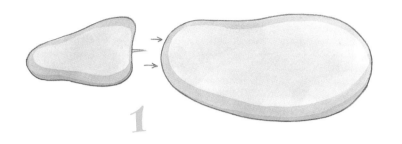

1. Haz dos piezas, una para la cabeza y otra más grande y redonda para el cuerpo. Únelas con un palillo y refuerza la unión.

2. Pega cuatro churros para las patas. Dobla un poco los pies y así el animal será más estable.

3. Pon un churro a media pierna en las patas delanteras y extiéndelo sólo por arriba. La cola es un churro fino. Hazle pelitos con un palillo.

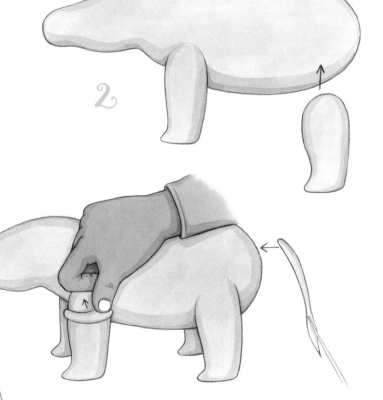

4. Pega dos churros afilados en el morro, el primero más largo que el segundo. Ya tienes los cuernos. Para los ojos, pega una bolita negra sobre otra más grande de color gris.

5. Márcale las ojeras con
un tubo o tapón y ábrele
la boca con una cartulina.

6. Haz los agujeros de
la nariz con la punta
de un lápiz. Para terminar,
clava las orejas de cartulina
encima de una bolita gris.

Un animal con mucho carácter

El rinoceronte
es muy grande
y tiene mal genio.
Por suerte,
es muy corto
de vista...

Serpiente

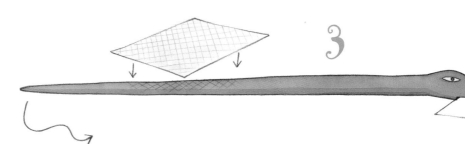

1. Haz un churro largo y delgado. Afina una punta, que será la cola. Redondea la otra para hacer la cabeza.

2. Para los ojos, pega una bolita negra sobre un churro pequeño. Haz los agujeros de la nariz con un palillo.

3. Ábrele la boca con un trozo de cartulina. Luego presiona una rejilla sobre el cuerpo para simular las escamas. Por último, dale forma de "S".

Serpientes de colores

Hay muchos tipos de serpientes, con colores y dibujos muy variados. En vez de textura puedes hacer manchas de colores.

Loro

1. Haz un churro y modela la forma de la cabeza y la cola, afinando esta última. Aplasta una bola de otro color a cada lado de la cabeza.

2. Pega dos bolitas negras para hacer los ojos. Con dos churros de distinto tamaño, afilados y curvos tendrás el pico. Aplana y afila dos churros para las alas. Marca las plumas de la cola con un palillo.

3. Con el dedo, haz la textura de las alas. Pega dos churros cortos para las patas. Coloca tu loro sobre una rama de plastilina y hazle las uñas con churros pequeñitos.

Elefante

1. Haz un óvalo grande. Divide un churro largo en cuatro trozos iguales, cortando un extremo en diagonal para que se pegue mejor al cuerpo.

2. Pega las patas con ayuda de palillos. Ábrele la boca con una cartulina.

3. Haz un churro un poco más fino por un lado. Pégalo y asegúralo sobre la boca para hacer la trompa. Dos bolitas negras serán los ojos.

4. Con un palillo, marca unas rayas en la trompa y haz dos agujeros en la punta.

5

5. Marca las ojeras alrededor de los ojos con un tubito o caña. Para los colmillos, pega al lado de la trompa dos churros afilados.

6. Un churro muy fino hará de cola. Para terminar, recorta unas grandes orejas de cartón y clávalas.

6

¿Africano o indio?

Los elefantes africanos tienen las orejas mucho más grandes que los indios. ¿De dónde es tu elefante?

Chimpancé

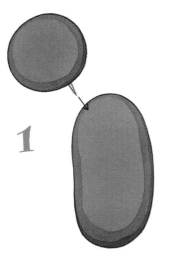

1. Con un palillo, une una bola con un churro redondeado. Ya tienes la cabeza y el cuerpo.

2. Asegura la unión con el dedo. Pega en la base dos churros largos para las piernas y media bola de color rosa en el morro.

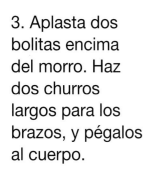

3. Aplasta dos bolitas encima del morro. Haz dos churros largos para los brazos, y pégalos al cuerpo.

4. Una bola pequeña nos servirá de nariz y dos bolitas negras serán los ojos. Ábrele la boca con una cartulina y hazle las orejas aplastando media bola.

5

5. Con un palillo, abre dos agujeros en la nariz. Para hacer los pies y las manos, junta churritos muy finos, de cinco en cinco y pégalos como ves en el dibujo.

6. Termina marcando rayas por todo el cuerpo con un palillo para simular el pelaje.

6

Fiel compañera

"Chita" es la simpática chimpancé que acompaña a Tarzán en todas sus aventuras.

Tigre

1. Haz una bola para la cabeza y un churro redondeado para el cuerpo. Únelos con un palillo.

2. Asegura la unión con el dedo. Extiende un churro más claro bajo la panza. Pega otro pequeño y afilado en el lugar de la nariz.

3. Aplasta un poco de plastilina oscura bajo la nariz. Dos bolitas harán de mofletes y otra blanca debajo será la barbilla. Para las orejas, aplasta dos bolitas en la cabeza.

4. Haz cuatro churros para las patas. Pégalos al cuerpo dándoles forma de pie.

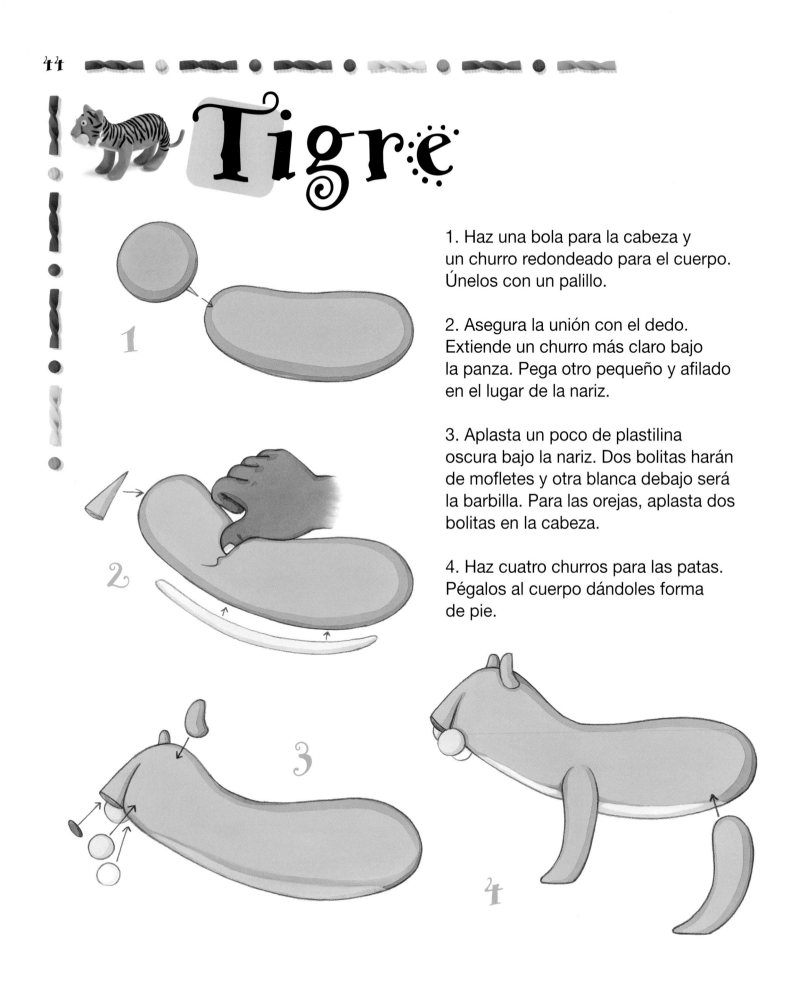

5. Recorta unos flecos en papel fino, abre un poco el cuello por debajo y colócalos, a modo de barba. Pega una bolita negra sobre otra más grande para los ojos. Un churro fino hará de cola.

Cambio de "diseño"

Si en lugar de ponerle rayas haces manchas, tu tigre se convertirá en un leopardo.

6. Finalmente, aplasta churritos negros para las rayas. Si lo prefieres puedes pintarlas.

Cocodrilo

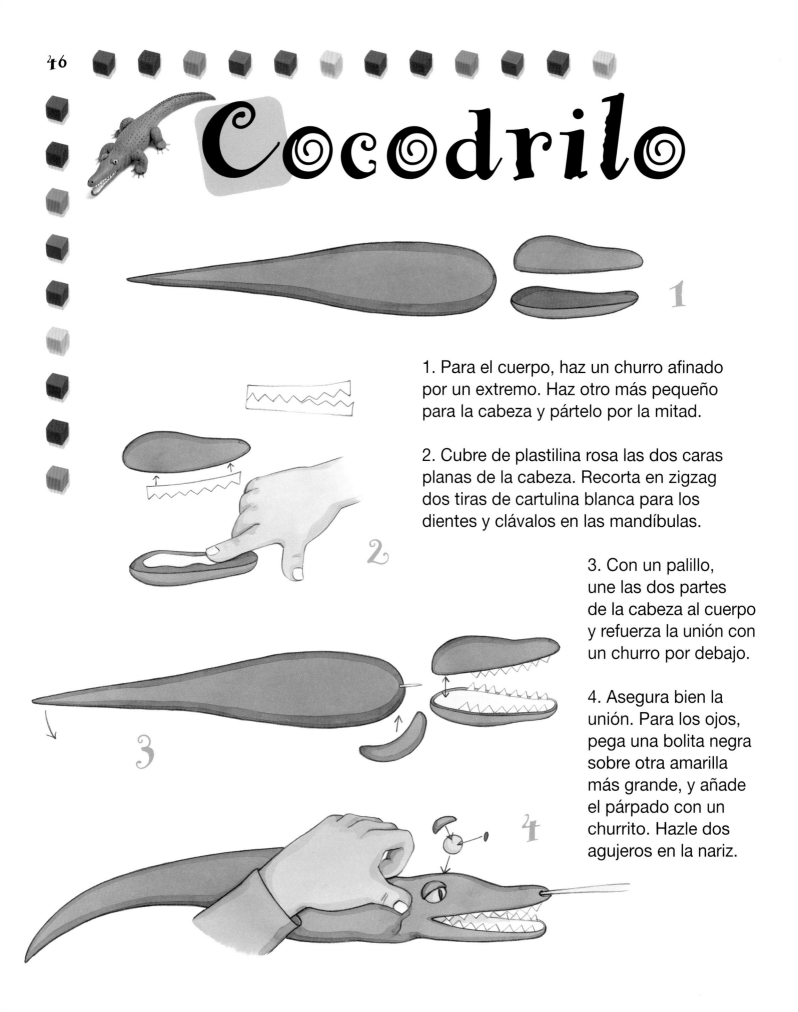

1. Para el cuerpo, haz un churro afinado por un extremo. Haz otro más pequeño para la cabeza y pártelo por la mitad.

2. Cubre de plastilina rosa las dos caras planas de la cabeza. Recorta en zigzag dos tiras de cartulina blanca para los dientes y clávalos en las mandíbulas.

3. Con un palillo, une las dos partes de la cabeza al cuerpo y refuerza la unión con un churro por debajo.

4. Asegura bien la unión. Para los ojos, pega una bolita negra sobre otra amarilla más grande, y añade el párpado con un churrito. Hazle dos agujeros en la nariz.

5. Modela cuatro churros para las patas. Para los dedos, corta trocitos de escubidú.

6. Pega un churro fino a lo largo de la cola y márcale montañitas con una herramienta para plastilina. Termina de darle textura a la piel con otra herramienta.

¡Mejor no probar!

A pesar de sus tremendas mandíbulas, dicen los expertos que es fácil sujetar cerrada la boca de un cocodrilo, porque apenas tiene fuerza para abrirla.

Cebra

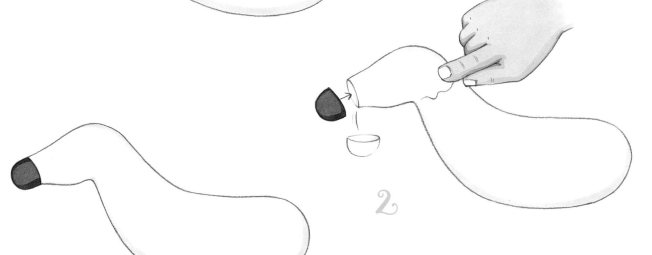

1. Empieza haciendo dos piezas, una pequeña para la cabeza y un churro redondeado para el cuerpo. Únelos con un palillo.

2. Refuerza la unión. Cambia el color del morro, cortando la punta y enganchando media bola negra.

3. Para dar resistencia a las patas, atraviesa los churros con palillos. Clava una punta al cuerpo y la otra a media bola negra, que será la pezuña.

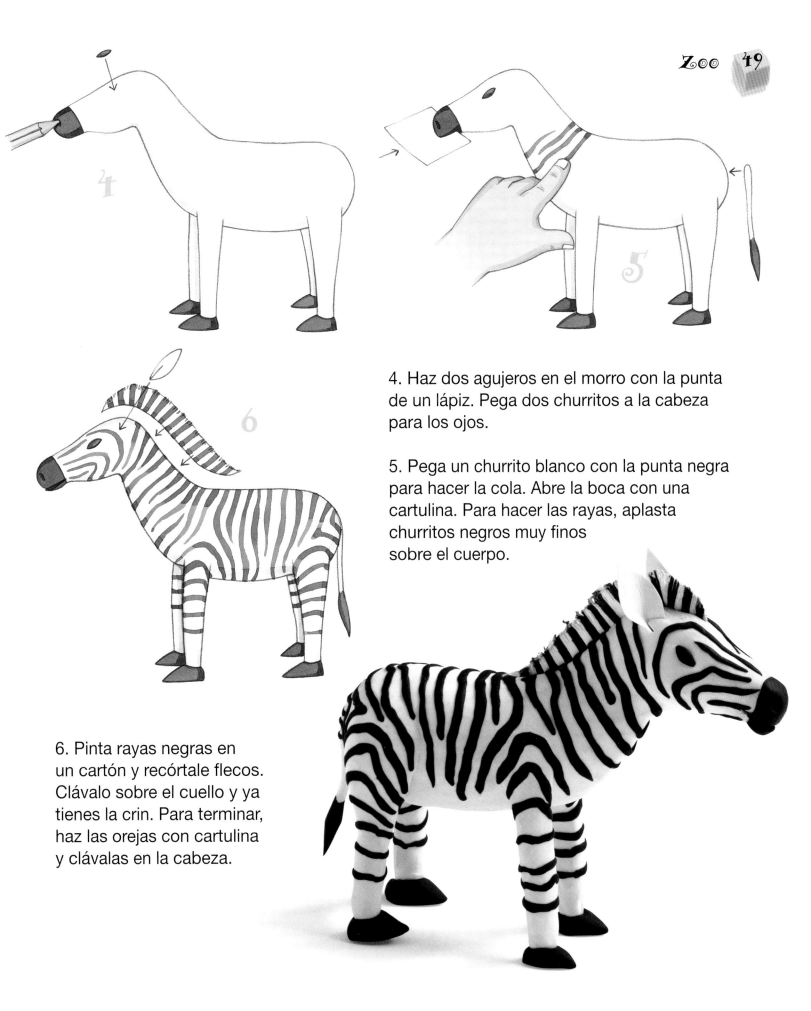

4. Haz dos agujeros en el morro con la punta de un lápiz. Pega dos churritos a la cabeza para los ojos.

5. Pega un churrito blanco con la punta negra para hacer la cola. Abre la boca con una cartulina. Para hacer las rayas, aplasta churritos negros muy finos sobre el cuerpo.

6. Pinta rayas negras en un cartón y recórtale flecos. Clávalo sobre el cuello y ya tienes la crin. Para terminar, haz las orejas con cartulina y clávalas en la cabeza.

Jirafa

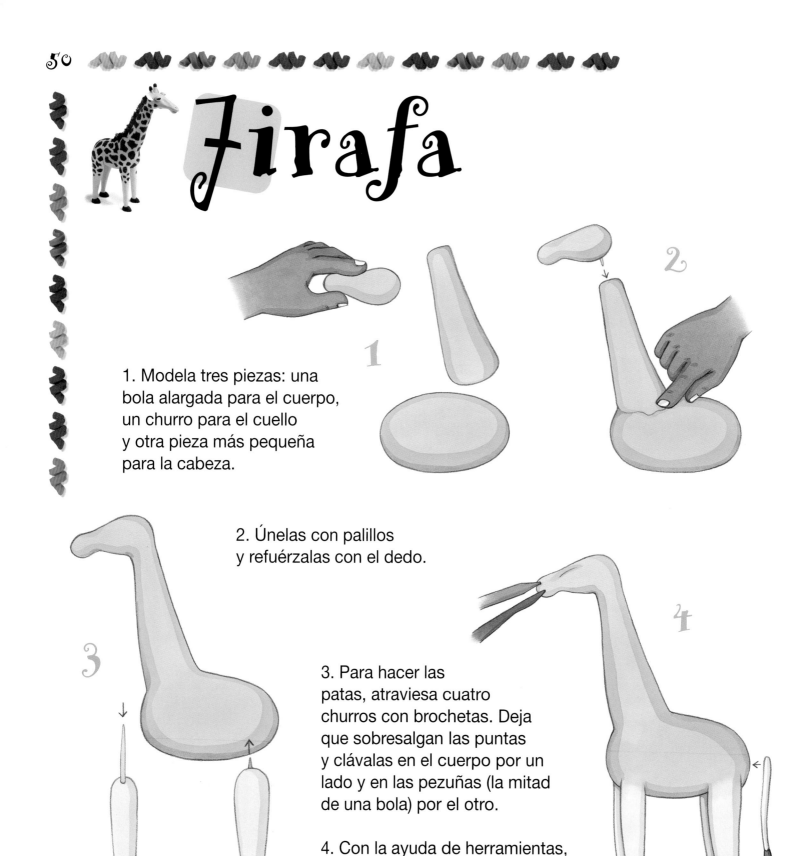

1. Modela tres piezas: una
bola alargada para el cuerpo,
un churro para el cuello
y otra pieza más pequeña
para la cabeza.

2. Únelas con palillos
y refuérzalas con el dedo.

3. Para hacer las
patas, atraviesa cuatro
churros con brochetas. Deja
que sobresalgan las puntas
y clávalas en el cuerpo por un
lado y en las pezuñas (la mitad
de una bola) por el otro.

4. Con la ayuda de herramientas,
hazle los agujeros en la nariz
y ábrele la boca. Pega la
cola detrás.

Llegar muy arriba

Las jirafas tienen el cuello largo para poder comer las hojas más altas de los árboles.

5

5. Engancha un churrito sobre una bola para cada ojo, y una bolita sobre un churrito para cada cuerno. Hazle unas orejas con cartulina.

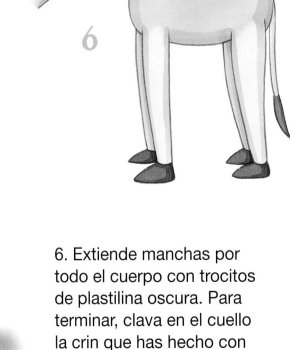

6

6. Extiende manchas por todo el cuerpo con trocitos de plastilina oscura. Para terminar, clava en el cuello la crin que has hecho con papel doblado y cortado.

Pollito

1. Haz una bola afilada por un extremo y otra bola más pequeña. Únelas con un trozo de palillo y asegúralas con el dedo.

1

2. Parte en dos una bolita aplastada y pega las mitades a los lados del cuerpo, que serán las alas. Para hacer el pico, clava en la cabeza la punta de una brocheta pintada de naranja. Dos pequeñas bolas negras serán los ojos.

2

3. Para hacer las patas, márcale la mitad a media bola. Clávale dos trocitos de palillo como en el dibujo. Por último, clávalo todo en la panza.

3

Oca

1. Con la ayuda de palillos, une un churro a una bola afilada por un extremo. Asegura la unión y dobla un poco el cuello. Pega a ambos lados unos churros planos en forma de alas.

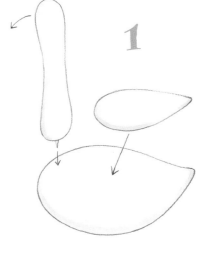

2. Haz la textura de plumas en las alas. Pega un pico de plastilina naranja. Dos bolitas negras serán los ojos.

3. Haz dos agujeritos en el pico con un palillo. Para hacer las patas, atraviesa un trocito de palillo a dos churritos cortos y clávalos en triángulos de plastilina. Marca después los dedos con un palillo.

Conejo

1. Haz dos bolas, una más grande que la otra. Aplana un poco la base de la grande para que se aguante bien y pega ambas con un trocito de palillo.

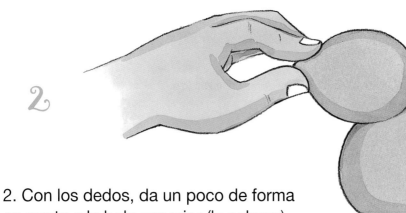

2. Con los dedos, da un poco de forma en punta a la bola superior (la cabeza). Ya tienes la nariz. Para hacer la cola, pega una bolita puntiaguda en el trasero.

3. Para los mofletes, pega dos bolitas blancas bajo la nariz. Para los ojos, dos más, negras y pequeñas, en la cabeza.

4. Recorta unas orejas de cartulina y clávalas en la parte posterior de la cabeza.

5. Haz el agujero de la boca con un palillo, bajo los mofletes. Para las patas de atrás, pega dos churros largos bajo la base del cuerpo.

5

¡Tengo hambre!

Los mismos churros de las patas, pero de color naranja, pueden ser una zanahoria.

6. Pega dos churros más al cuerpo, que serán las patas delanteras. Presiónalas bien con el dedo. Hazle los bigotes clavando unos trocitos de hilo de pescar en los mofletes.

6

Cerdo

1. Haz un churro como el del dibujo. Con un trozo de palillo, pega un churro cilíndrico delante: será el morro. Dos triángulos en la cabeza serán las orejas.

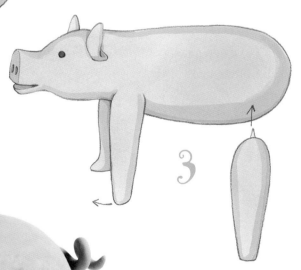

1

2

2. Ábrele la boca con un cartoncillo. Hazle los agujeros de la nariz con un lápiz y pega dos ojitos negros.

3

3. Haz cuatro churros anchos por arriba y finos por abajo y clávalos al cuerpo con palillos. Dobla un poco la base para modelar las pezuñas. Por último, enrosca una cola fina y colócala detrás.

Ratón

1. Haz una bola afilada por un lado. Pega tres bolitas del mismo tamaño, formando un triángulo. Las dos bolas inferiores serán del mismo color, y la superior de otro.

2. Clava debajo unos dientes de cartulina. Dos bolitas pequeñas serán los ojos. Debajo del cuerpo, pega churritos para las patas.

3. Dobla un poco las patas delanteras para que se sostenga. Clávale en la cabeza unas orejas de cartulina. La cola será un trozo de escubidú.

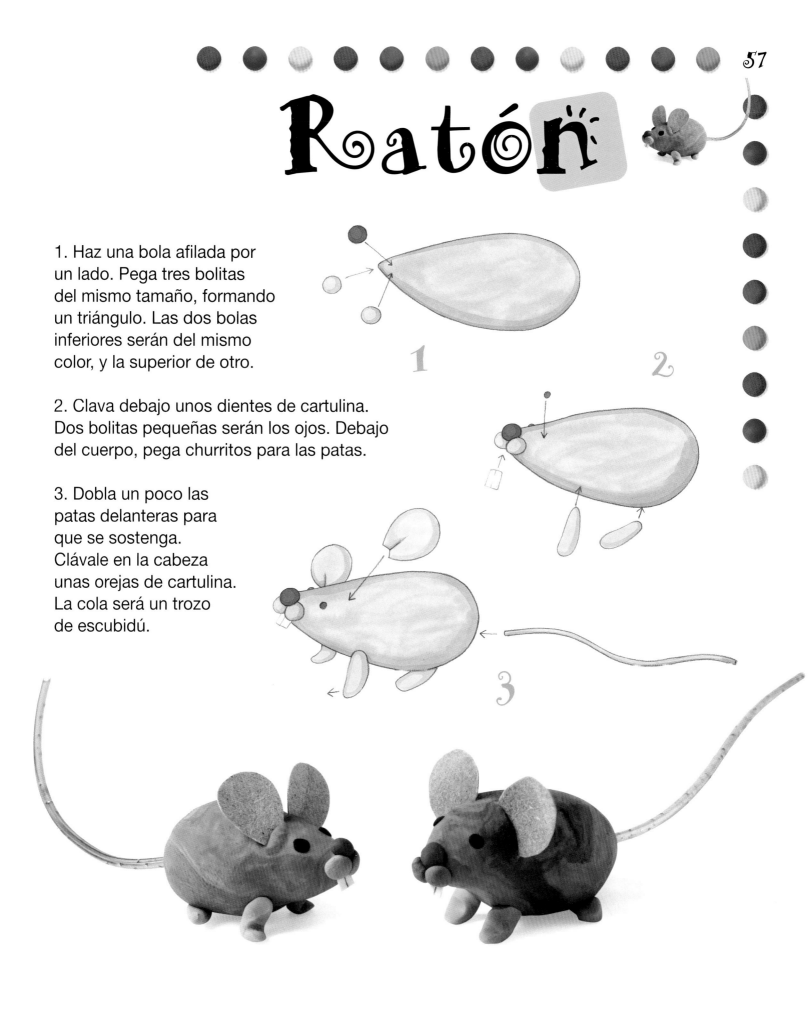

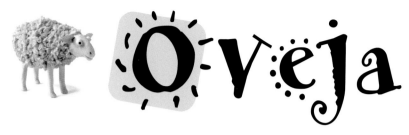

Oveja

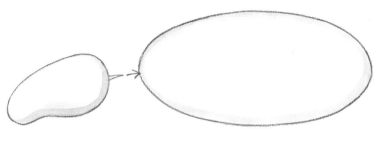

1. Haz una cabeza y un churro ovalado para el cuerpo. Únelos con un trozo de palillo.

2. Asegura y afina bien la unión. A la altura de los ojos marca unas hendiduras con los dedos.

3. Con un palillo, márcale una "Y" en el morro. Ábrele la boca debajo con un cartoncillo.

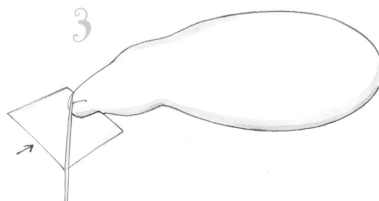

4. Haz los agujeros de la nariz. Pega una bolita negra encima de una blanca más grande para hacer los ojos y colócalos en las hendiduras. Recorta unas orejas de cartulina y clávalas.

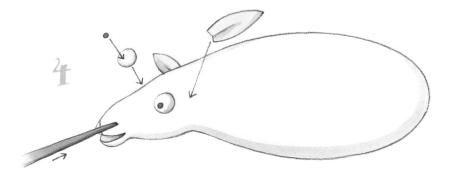

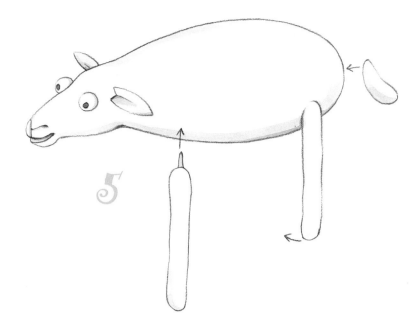

5

5. Un pequeño churro servirá de cola. Haz cuatro churros delgados para las patas, y pégalos en la panza con ayuda de unos palillos. Dobla un poco las puntas hacia adelante.

6. Finalmente, diviértete enrollando lana por todo el cuerpo de tu oveja.

6

¿Blancas o negras?

Hay ovejas de otros colores. Puedes envolver tu oveja con lana oscura (negra, marrón o gris, por ejemplo).

Perro

1. Une tres piezas con palillos: la cabeza, el cuello hecho con un trocito de churro, y un churro redondeado más grueso para el cuerpo.

2. Asegura y afina las uniones con el dedo. Aplana el morro.

3. Marca una línea en el morro con un palillo y ábrele la boca. Dos trocitos de plastilina a ambos lados de la cabeza serán las orejas.

4. Para hacer la lengua, métele un churrito plano y rojo en la boca. Una bola pequeña será la nariz y dos aún más pequeñas, los ojos. Si tu perro tiene manchas en la cara, acuérdate de ponerlas antes.

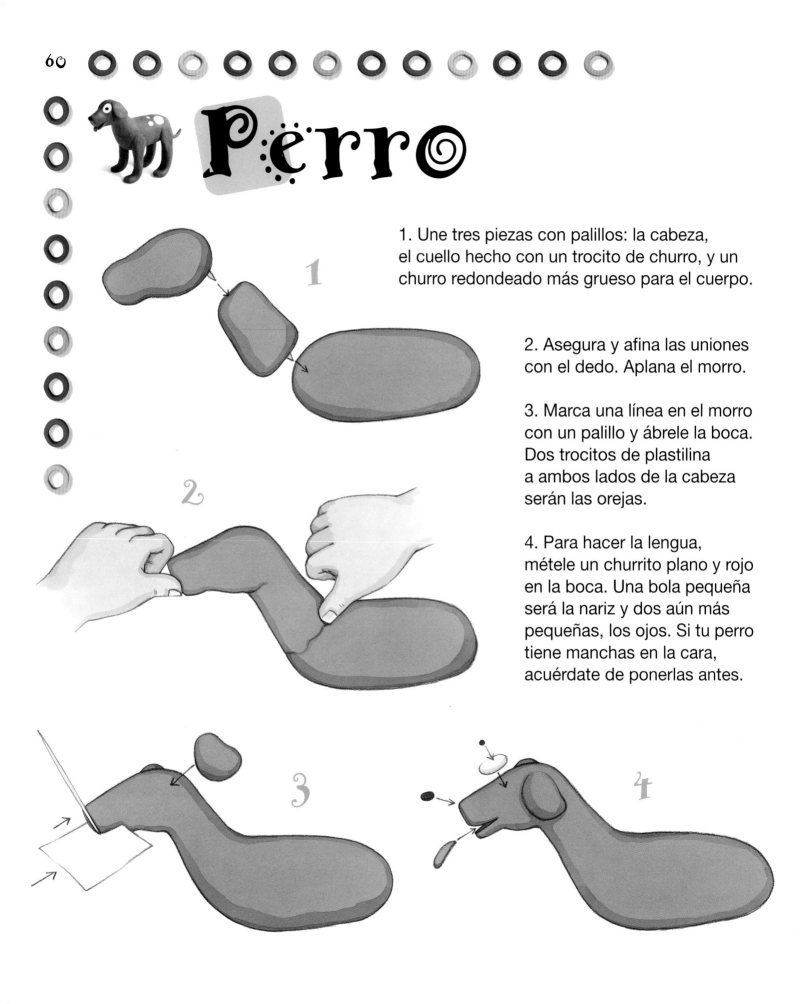

Un montón de razas

Seguro que conoces perros de distintas razas. Ahora que ya sabes hacer perros, ¿te animas a modelar uno de los que conoces?

5. Para hacer las patas, clava cuatro churros al cuerpo con la ayuda de palillos. Dobla un poco la base para formar las pezuñas que lo sostendrán mejor.

6. Pega detrás un churro pequeño que será la cola. Puedes hacerle manchas de otro color aplastando trocitos de plastilina.

Gato

1. Une una bola y un churro redondeado con la ayuda de un trozo de palillo.

2. Asegura y afina la unión. Para hacer la nariz, pega en la cabeza un churrito afilado y aplícale un trocito de plastilina rosa en la punta.

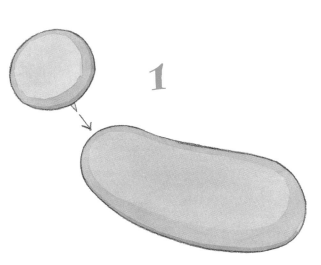

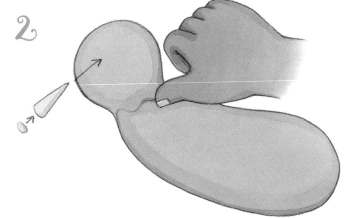

Siete vidas tiene un gato...

Los gatos ven muy bien en la oscuridad. También son muy ágiles y silenciosos. Siempre caen de pie y por eso se dice que tienen siete vidas.

3. Para hacer la cara, pega dos bolitas a los lados de la nariz y otra más pequeña debajo. Los ojos se hacen pegando un churrito negro y alargado sobre una bolita plana amarilla.

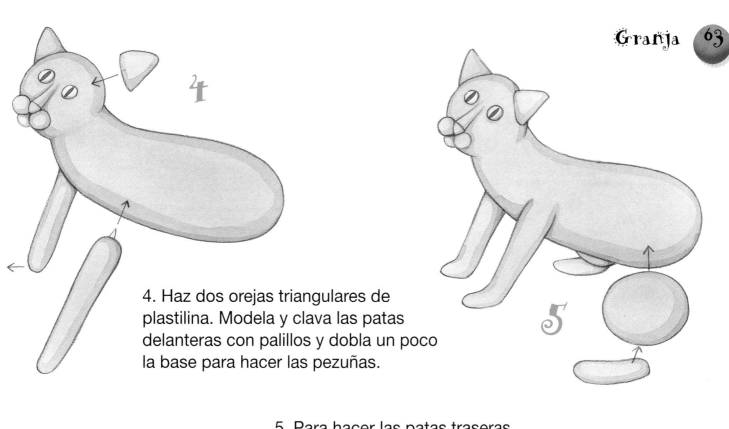

4. Haz dos orejas triangulares de plastilina. Modela y clava las patas delanteras con palillos y dobla un poco la base para hacer las pezuñas.

5. Para hacer las patas traseras, pega dos churritos debajo de unas bolas planas. Asegura las uniones.

6. Clava en los mofletes unos bigotes hechos con trozos de hilo de pescar. Por último, píntale las rayas.

Gallina

1. Haz un churro redondeado por arriba y plano por debajo. Únelo con un palillo a media bola modelada en forma de luna.

2. Asegura la unión con el dedo. Afina la punta de la cola.

3. Pega un pequeño cono para hacer el pico. Unos óvalos planos de plastilina serán las alas. Recorta y clava una cresta de cartulina.

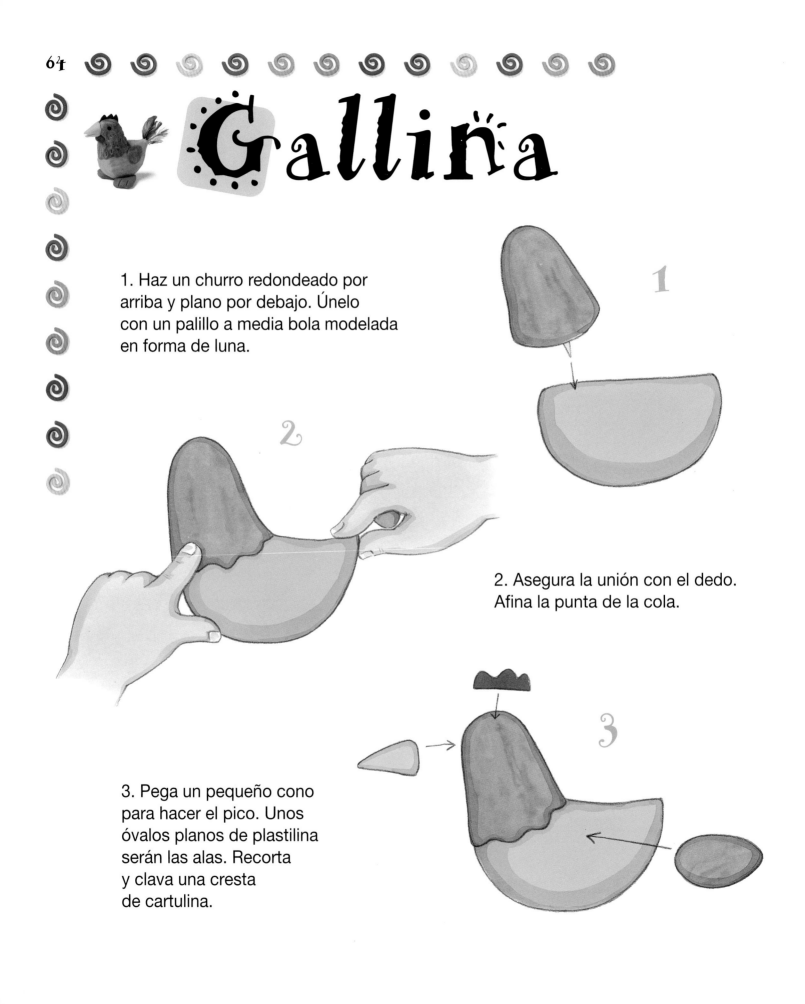

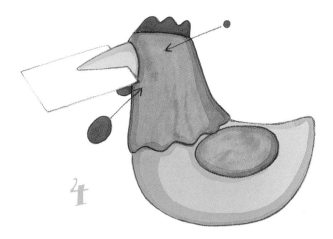

4

4. Ábrele la boca con un cartoncillo. Pega dos bolas rojas bajo el pico para hacer la "papada". Dos bolitas negras serán los ojos.

5

5. Para hacer las patas, recorta dos triángulos de una plancha de plastilina y clávalos en el cuerpo con ayuda de trocitos de palillo. Clava también unas plumas en la cola.

6. Para terminar, marca con un palillo los dedos de las patas y la textura de plumas.

6

Gallo

1. Haz un churro redondeado por arriba y plano por debajo. Únelo con un palillo a media bola modelada en forma de luna.

1

2

3

2. Asegura la unión. Aplasta bolitas verdes por el cuello. Haz unas alas afilando por un lado dos churritos planos. Pega un ala a cada lado.

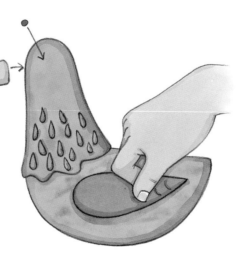

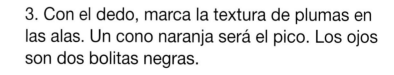

4

3. Con el dedo, marca la textura de plumas en las alas. Un cono naranja será el pico. Los ojos son dos bolitas negras.

4. Con dos bolas rojas pegadas bajo el pico tendrás la "papada". Pega dos conos bajo la panza para hacer los muslos.

5

5. Para hacer las patas, clava dos trocitos de brocheta en unos triángulos de plastilina. Márcales los dedos, y después clava cada pata en un muslo.

6

6. Recorta una gran cresta de cartulina y clávala en la cabeza. Finalmente, clava unas cuantas plumas de diferentes colores en la cola.

Animales muy celosos

Más vale que no se te ocurra poner dos gallos en un gallinero. Son muy celosos y territoriales... ¡y se pasarían el día peleando!

Burro

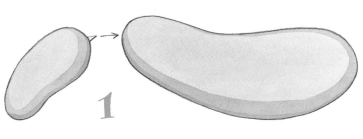

1. Usando un trozo de palillo, une un churro pequeño y redondeado con otro más grueso y largo.

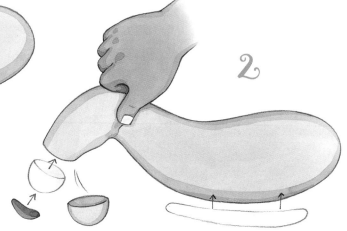

2. Asegura y afina la unión. Extiende un churro blanco por la panza. Corta la punta del morro y pega media bola blanca. Añade un trocito de plastilina oscura delante.

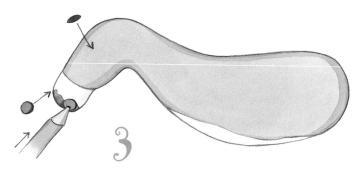

3. Pega dos bolitas oscuras en el hocico y agujeréalas. Dos churritos negros serán los ojos.

4. Abre la boca con un cartoncillo. Atraviesa cuatro churros con brochetas y clávalos en la panza. Asegura la unión.

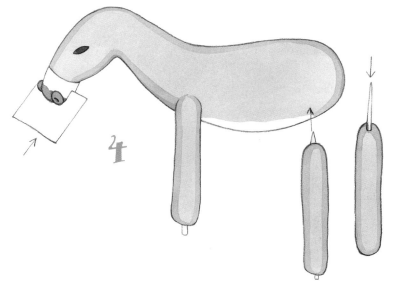

5. Difumina en la base de cada pata un churrito plano blanco hacia arriba. Para hacer las pezuñas, clava media bolita en cada pata.

Comen hierba

Los burros son animales "herbívoros". Eso significa que se alimentan de vegetales.

6. Para hacer la cola, pega un churrito con punta negra. Clava unas largas orejas de cartulina en la cabeza. Para hacer la crin, recorta unos flecos en una tira de cartulina y clávala a lo largo del cuello y la espalda.

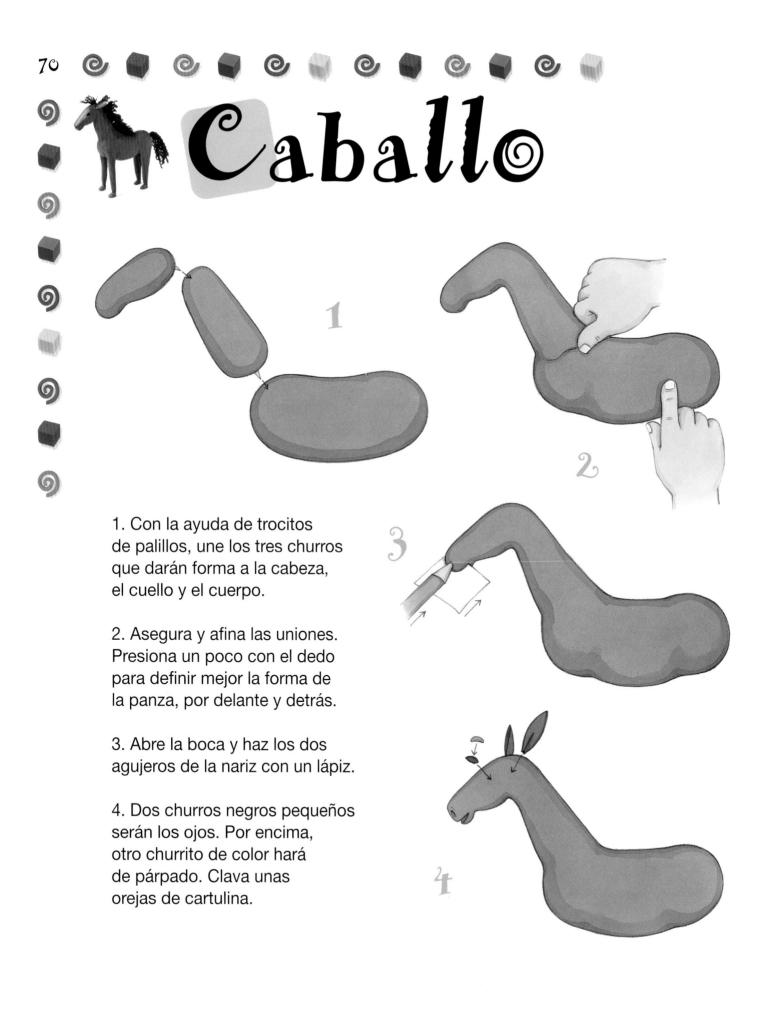

Caballo

1. Con la ayuda de trocitos de palillos, une los tres churros que darán forma a la cabeza, el cuello y el cuerpo.

2. Asegura y afina las uniones. Presiona un poco con el dedo para definir mejor la forma de la panza, por delante y detrás.

3. Abre la boca y haz los dos agujeros de la nariz con un lápiz.

4. Dos churros negros pequeños serán los ojos. Por encima, otro churrito de color hará de párpado. Clava unas orejas de cartulina.

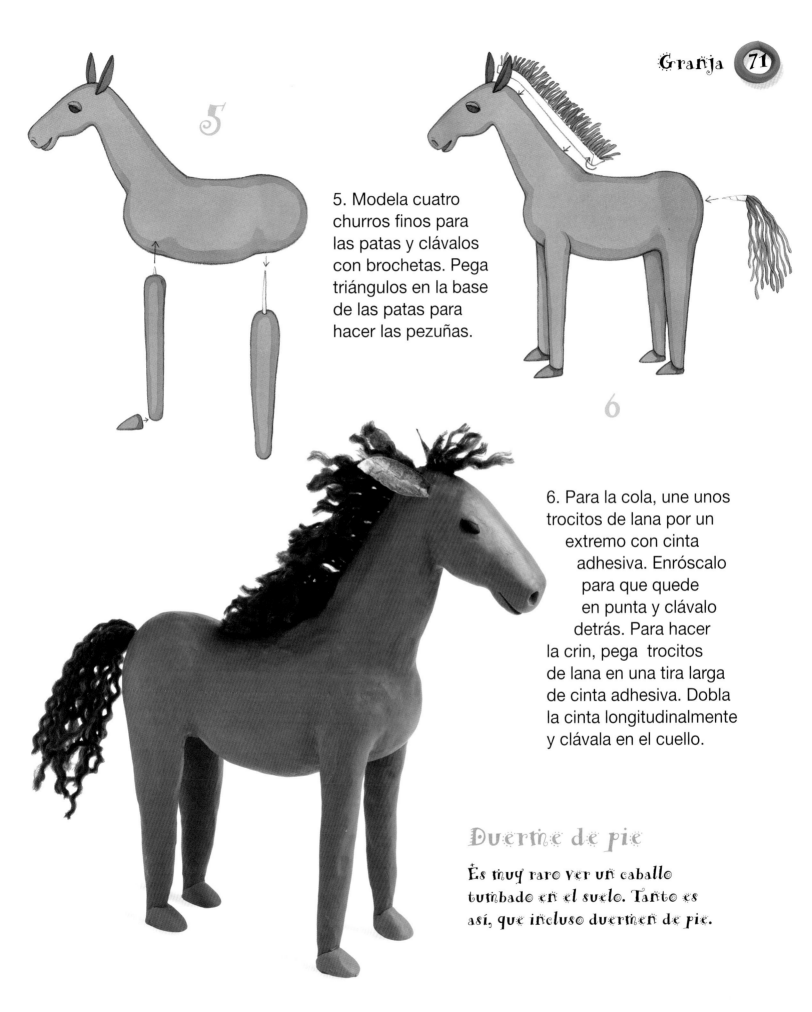

5

5. Modela cuatro churros finos para las patas y clávalos con brochetas. Pega triángulos en la base de las patas para hacer las pezuñas.

6

6. Para la cola, une unos trocitos de lana por un extremo con cinta adhesiva. Enróscalo para que quede en punta y clávalo detrás. Para hacer la crin, pega trocitos de lana en una tira larga de cinta adhesiva. Dobla la cinta longitudinalmente y clávala en el cuello.

Duerme de pie

Es muy raro ver un caballo tumbado en el suelo. Tanto es así, que incluso duermen de pie.

Vaca

1. Haz tres churros como ves en el dibujo y únelos con trocitos de palillo.

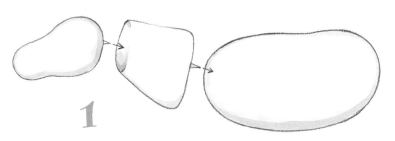

2. Asegura las uniones. Corta el morro y pega en su lugar media bola rosa.

3. Marca una línea vertical en el morro y abre la boca. Para hacer las ubres, pega cuatro churritos a media bola, y ésta al final de la panza.

4. Haz los agujeros de la nariz con un lápiz. Para hacer los ojos, pega un churrito negro sobre una bolita blanca. Atraviesa cuatro churros con brochetas y clávalas en el lugar de las patas.

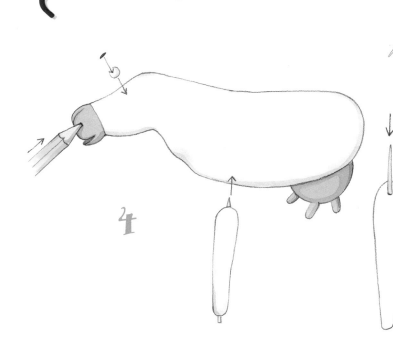

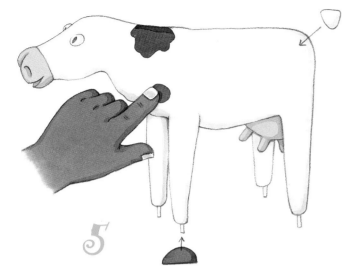

5. La pezuña será media bolita en la base de cada pata. Pega unos pequeños conos sobre las patas traseras. Haz las manchas aplastando trocitos negros de plastilina por todo el cuerpo.

6. Un churrito de punta oscura será la cola. Para hacer los cuernos, pega un churrito sobre la cabeza y añade un cono afilado a cada lado. Modela dos triángulos pequeños que serán las orejas.

Grandes productoras

La mayor parte de la leche que tomamos las personas se obtiene de las vacas.

Oruga

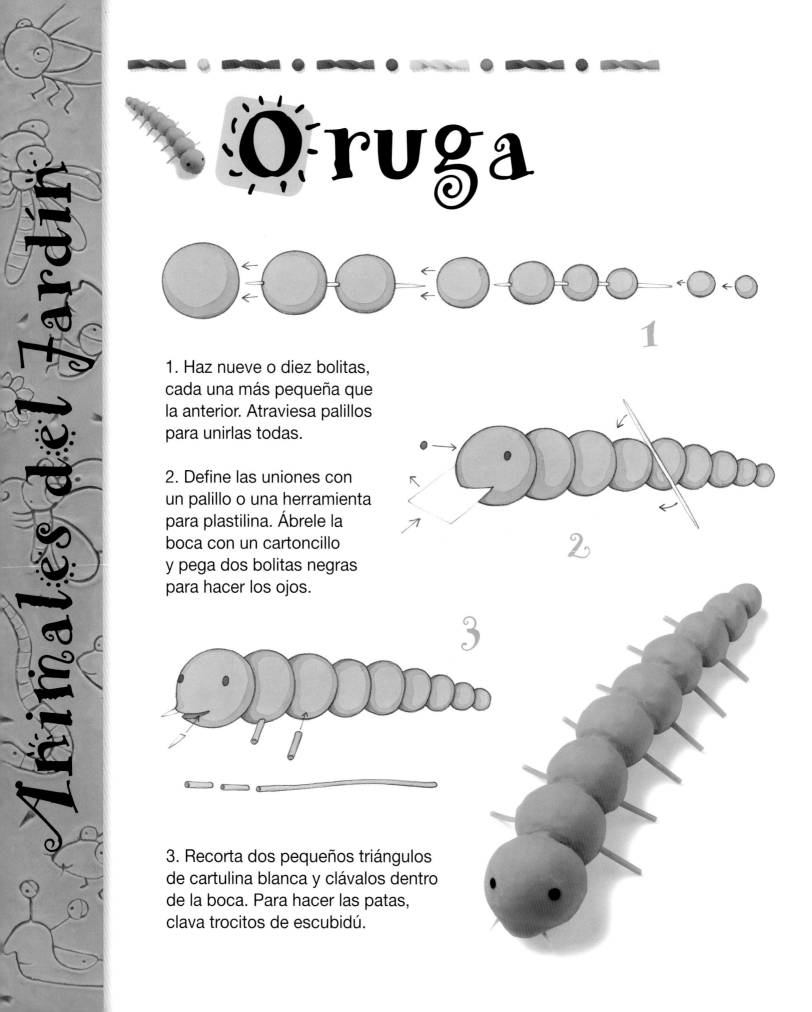

1. Haz nueve o diez bolitas, cada una más pequeña que la anterior. Atraviesa palillos para unirlas todas.

2. Define las uniones con un palillo o una herramienta para plastilina. Ábrele la boca con un cartoncillo y pega dos bolitas negras para hacer los ojos.

3. Recorta dos pequeños triángulos de cartulina blanca y clávalos dentro de la boca. Para hacer las patas, clava trocitos de escubidú.

Mariposa

S I S I S I S I S I S

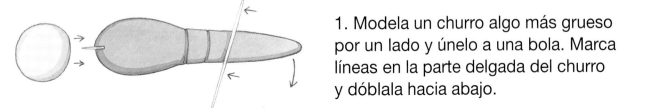

1. Modela un churro algo más grueso por un lado y únelo a una bola. Marca líneas en la parte delgada del churro y dóblala hacia abajo.

1

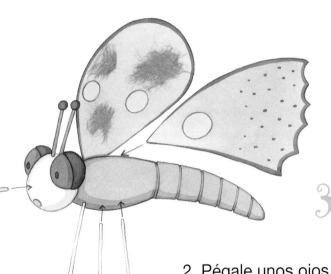

2

3

2. Pégale unos ojos a ambos lados de la cabeza. Clava en medio unas antenas de escubidú con una bolita en la punta. Haz la boca con un lápiz.

3. Recorta unas alas de cartulina y decóralas a tu gusto. Clávalas en el tórax. Un trozo de escubidú en la cabeza será la trompa. Haz las patas con trocitos de palillo.

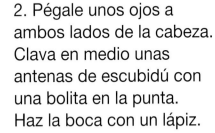

Araña

1. Haz una bola y "rebózala" con trocitos de lana cortada.

2. Haz otra bola más pequeña y únela a la grande con un trozo de palillo.

3. Para hacer los ojos, haz dos bolitas pequeñas: una blanca y otra del color que estés usando para la araña. Córtalas por la mitad y une cada trozo con uno del otro color. Añade una pequeña bolita negra a cada ojo, que serán las pupilas.

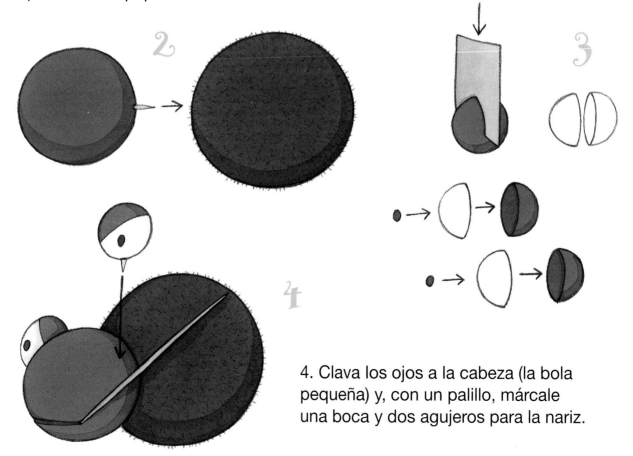

4. Clava los ojos a la cabeza (la bola pequeña) y, con un palillo, márcale una boca y dos agujeros para la nariz.

5. Recorta dos triángulos de cartulina blanca y clávalos en la boca.

6. Para hacer las patas, dobla ocho trocitos de limpiapipas y clava cuatro en cada lado del cuerpo.

Ocho patas

Recuerda que las arañas tienen 8 patas, pero las puedes hacer tan largas como quieras.

 # Mariquita

1. Haz dos bolas,
una roja y otra negra.
Corta la base y un
lado de cada una,
tal como ves en
el dibujo.

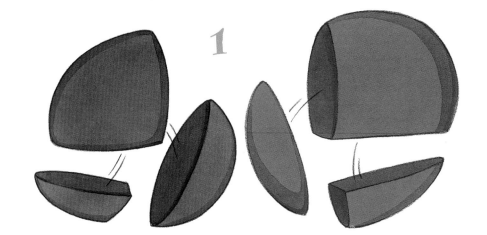

2. Une las dos piezas
con un trozo de palillo.

3. Haz unos ojos y pégalos
en la cabeza. Aplasta pequeñas
bolas negras para llenar
el cuerpo de lunares.

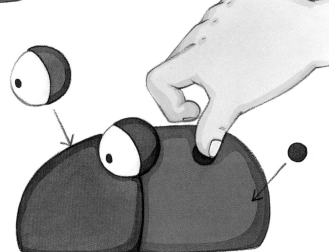

4. Con un palillo, márcale una línea en el centro de la espalda. Ábrele la boca con un cartoncillo.

5. Una bolita hará de nariz. Las antenas serán dos hilos de pescar con bolitas en las puntas.

6. Recorta seis patas de escubidú y clava tres a cada lado. Si tu mariquita es muy presumida, le puedes hacer pestañas con pequeñas tiras de cartulina.

Éscarabajo

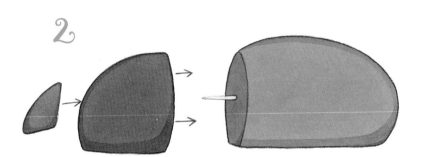

1

2

1. Corta la base
y un lado de una bola.
Haz lo mismo con
un "óvalo".

2. Pega las dos piezas
resultantes con un
palillo. La nariz será
un triángulo.

3. Asegura y afina
la nariz. Marca una
línea en el lomo con
un palillo.

4. Pega los ojos a la
cabeza con ayuda de
un palillo y abre la boca
con un cartoncillo.

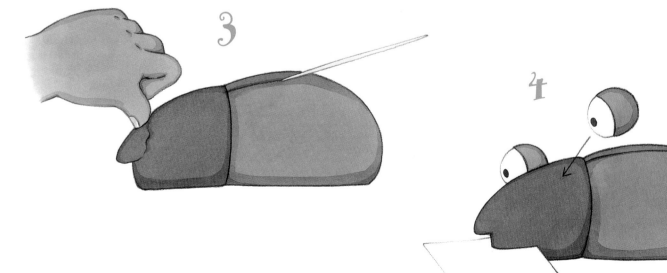

3

4

5. Recorta unas pinzas de cartulina y
clávalas. Para hacer las antenas, pinta rayas
a dos trozos de escubidú con un rotulador
y clávalas en la cabeza.

6. Unas tiras de cartulina serán las patas.
Dóblalas como se indica en el dibujo
y clava tres a cada lado del escarabajo.

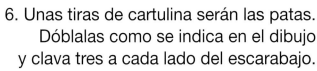

Alas escondidas

Insectos como
el escarabajo o la
mariquita pueden
volar. Tienen las
alas escondidas bajo
el caparazón y lo
abren cuando las
necesitan.

Caracol

1. Modela dos churros con un extremo más fino. Al churro que será el cuerpo, levántale el extremo grueso. Para hacer el caparazón, corta la punta del otro churro y enróscalo.

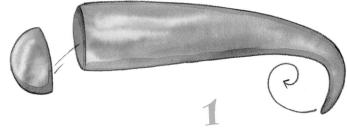

1

2. Corta la base del cuerpo para que se sostenga mejor. Clávale el caparazón con ayuda de un palillo.

2

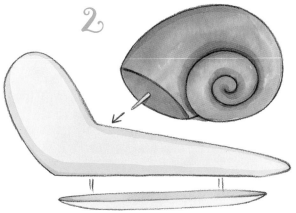

3

3. Pega un churro pequeño sobre la base del caparazón. Haz una nariz y colócala en la cabeza.

4. Asegura la unión de la nariz. Usa la herramienta de plastilina para abrir el agujero de la boca.

5. Corta dos trozos de escubidú y clávales un ojo en una punta. Después clava la otra en la cabeza.

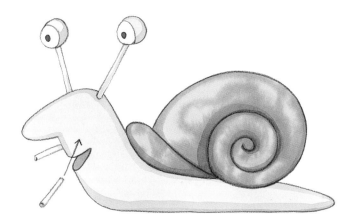

6. Para acabar, clava dos trocitos más pequeños de escubidú bajo la nariz.

Hormiga

1. Modela dos bolas afiladas y una redonda más pequeña. Únelas con un palillo, poniendo la bola pequeña en el medio.

2. Hazle la boca con un cartoncillo. Pégale los ojos en la cabeza, asegurándolos con un trozo de palillo. Usa otro palillo para marcar rayas en el abdomen.

3. Haz dos antenas clavando una bolita de plastilina en la punta de un hilo de pescar. Corta trocitos de escubidú para hacer las patas.

Mosquito

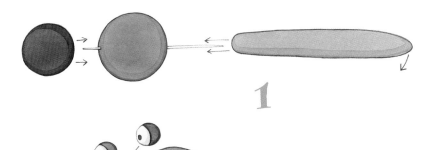

1

1. Modela un churro y dos bolas de medidas diferentes. Une las tres piezas, poniendo la bola grande en el medio.

2. Pega dos ojos en la cabeza con trocitos de palillo. Clava un trozo de escubidú que hará de trompa y presiona media bola blanca para hacer la boca.

2

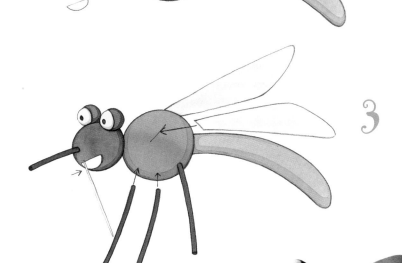

3

3. Marca los dientes de la boca con un palillo. Las patas serán trozos de escubidú. Recorta dos alas de papel vegetal y clávalas en la espalda.

Avispa

1. Modela un churro puntiagudo y aplícale rayas finas de color negro. Dobla un poco la punta del abdomen.

2. Atraviesa una bola con un palillo. En un extremo clava otra bola más grande. Une el palillo al abdomen.

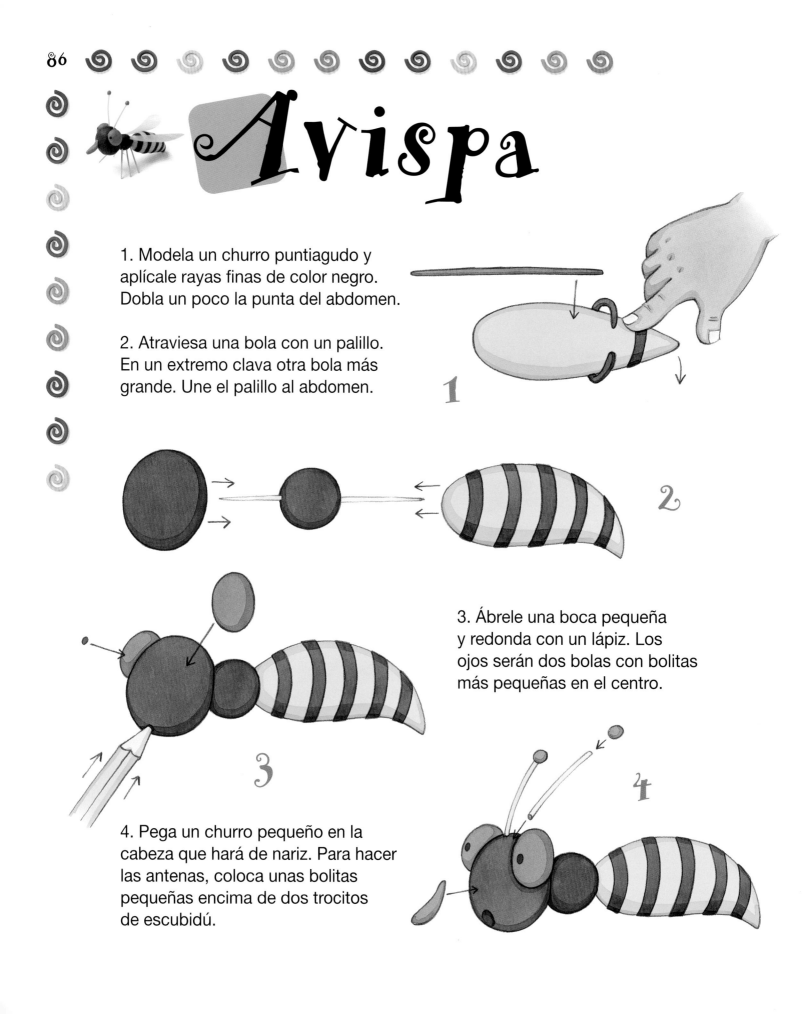

1

2

3. Ábrele una boca pequeña y redonda con un lápiz. Los ojos serán dos bolas con bolitas más pequeñas en el centro.

3

4. Pega un churro pequeño en la cabeza que hará de nariz. Para hacer las antenas, coloca unas bolitas pequeñas encima de dos trocitos de escubidú.

4

5. Clava tres trocitos de palillo a cada lado del tórax para hacer las patas.

6. Recorta dos alas de papel vegetal. Píntalas con rotulador y clávalas en la parte superior del tórax.

5

6

¡Peligro!

En la naturaleza, la combinación de los colores amarillo y negro significa "peligro". Los insectos con estos colores suelen ser de los que pican.

Mosca

1. "Reboza" en lana
una bola y un churro
afilado por un lado.
Corta la parte
redondeada
del churro.

2. Une las dos
piezas con un palillo
y añádele una bola
más grande.

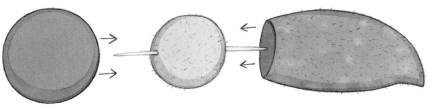

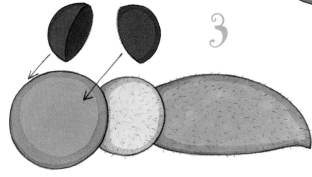

3. Corta una bolita por la mitad y pega
una pieza a cada lado de la cabeza.
Serán los ojos.

4. Pega tres bolitas negras en
cada ojo y aplástalas. Haz una
trompa de base ancha y pégala
en la parte inferior de la cabeza.
Afina la unión.

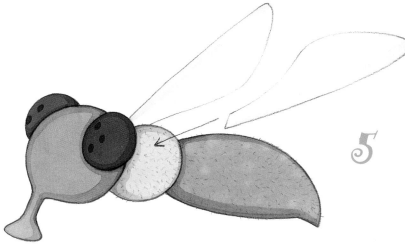

5

Las moscas no paran nunca de buscar comida. Con su trompa van probando sin parar la superficie de cualquier cosa sobre la que se detengan. ¡Qué pesadas son!

5. Recorta unas alas en papel vegetal y clávalas encima, en la bola central.

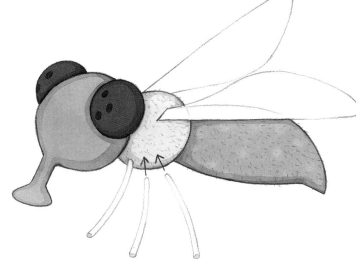

6

6. Para hacer las patas, corta seis trocitos de escubidú y clava tres a cada lado del tórax.

Rana

1. Sobre un churro grueso y redondeado, difumina otro más fino y de color más claro. Dóblalo 90°.

2. Pega una bola a cada lado de la base. Serán las patas traseras.

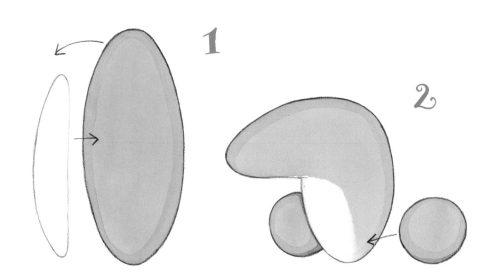

3. Con un palillo, marca los pliegues de los muslos. Recorta de una plancha dos rectángulos que te servirán de pies. Clávalos bajo las patas con un trozo de palillo.

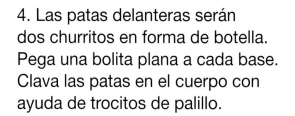

4. Las patas delanteras serán dos churritos en forma de botella. Pega una bolita plana a cada base. Clava las patas en el cuerpo con ayuda de trocitos de palillo.

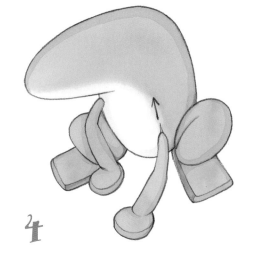

5

5. Pégale los ojos y abre la boca con un cartoncillo. Con un palillo, haz los agujeros de la nariz.

6. Para acabar, haremos los dedos. En las manos clavaremos pequeños trozos de escubidú. En los pies haremos lo mismo, pero acabaremos las puntas con pequeñas bolas de plastilina.

6

Y ahora... un sapo

Si utilizas plastilina de un verde más oscuro y le aplicas bolitas aplastadas por todo el cuerpo, ¡se parecerá a un sapo!

Lagartija

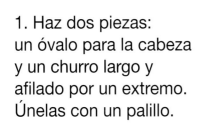

1. Haz dos piezas:
un óvalo para la cabeza
y un churro largo y
afilado por un extremo.
Únelas con un palillo.

2. Afina la unión.
Ábrele la boca con
un trozo de cartulina.

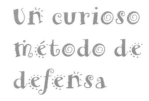

3. Pégale los ojos a la cabeza y haz
los agujeros de la nariz con un palillo.

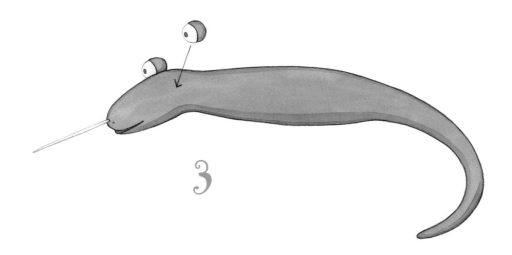

Un curioso método de defensa

Si intentas cazar una lagartija, es muy posible que te quedes con la cola moviéndose en tu mano. Con el tiempo, les vuelve a crecer.

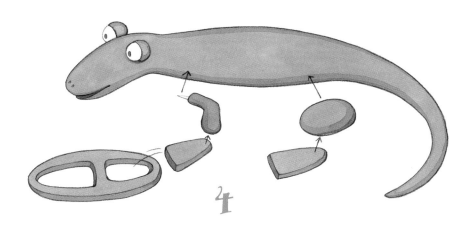

4. Haz una plancha para recortar los pies del animal. Para hacer las patas posteriores, une el pie a una bola ovalada. Para las patas delanteras, une a cada pie un churro en forma de botella doblada. Clava bien las cuatro patas con palillos.

5. Marca un pliegue en las patas traseras. Clava cuatro trozos de escubidú en cada pie para hacer los dedos.

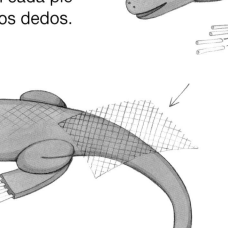

6. Y para terminar, márcale un poco de textura en la piel con una rejilla.

Saltamontes

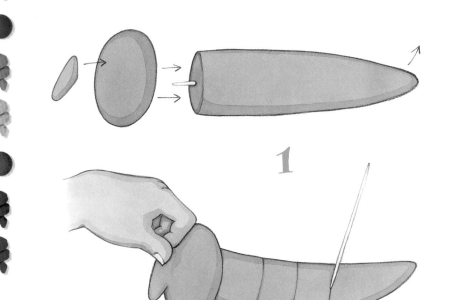

1. Une tres piezas: un triángulo como nariz, una bola un poco aplastada para la cabeza y un churro grueso cortado por un lado y afilado por el otro. Levanta la punta un poco hacia arriba.

2. Afina la unión de la nariz. Marca líneas en el cuerpo con un palillo.

3. Para hacer los ojos, pega dos bolas en la cabeza, con dos bolitas negras encima. Ábrele la boca por debajo con un cartoncillo.

4. Recorta dos alas de papel y ponlas sobre el cuerpo. Coloca encima un trozo de plancha que las sujetará.

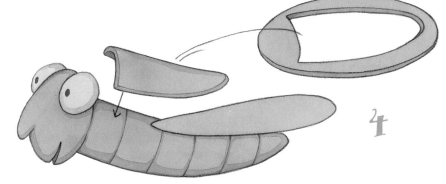

94

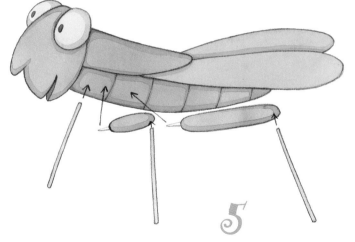

5

5. Pinta trocitos de palillo para hacer las patas. Las de delante, clávalas directamente. Las otras dos, clávalas en unos churros pequeños de plastilina.

6. Para terminar, clava dos trocitos de hilo de pescar encima de dos bolitas. Serán las antenas.

6

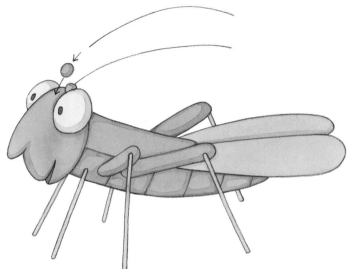

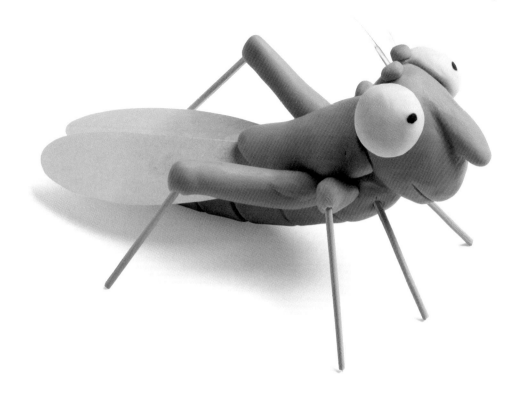

Un verdadero atleta

El saltamontes es uno de los insectos que más salta. A veces incluso "hace trampa", ayudándose de las alas para recorrer distancias mucho más largas.

Modela tus Animales

Texto e ilustraciones: **Bernadette Cuxart**

Diseño y maquetación: **Gemser Publications, S.L.**

Fotografía: **Pep Herrero**

© **Gemser Publications, S.L. 2010**

El Castell, 38   08329 Teià (Barcelona, España)

www.mercedesros.com

© **de esta edición: EDEBÉ, 2010**

Paseo de San Juan Bosco, 62   08017 Barcelona

www.edebe.com

ISBN: 978-84-236-9820-2

Dep. Legal: B.43729-2010

Impreso en España

Segunda edición